池上彰の世界の見方

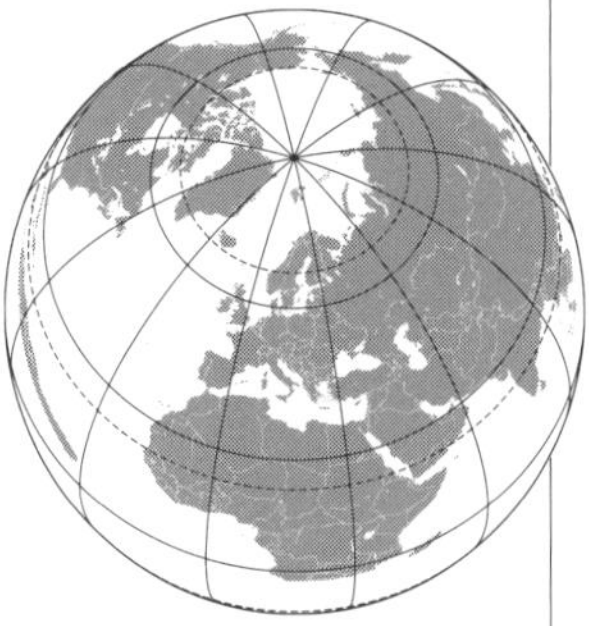

Akira Ikegami,
How To See the World

北欧

幸せな国々に迫るロシアの影

小学館

北欧
Northern Europe

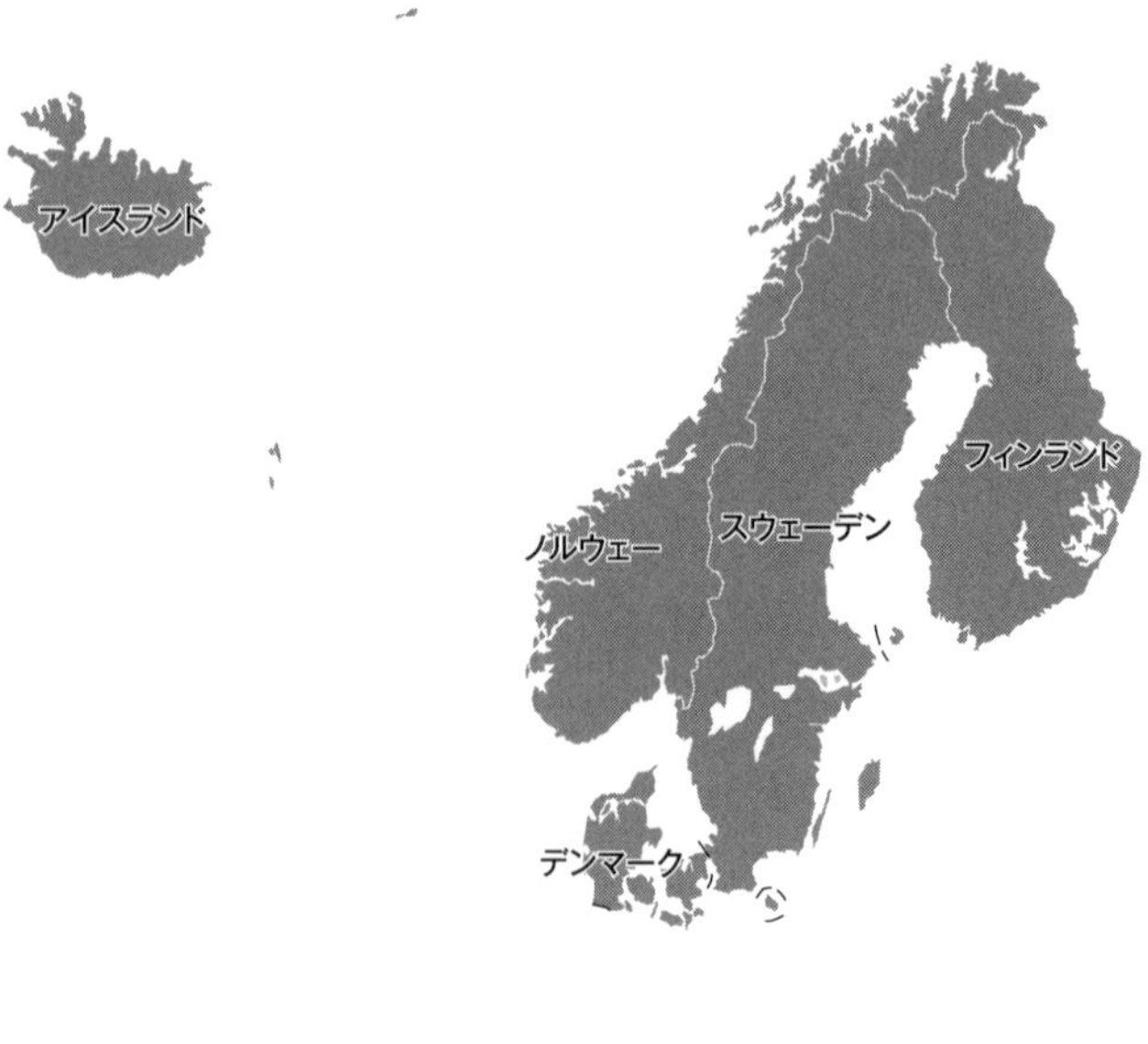

はじめに

北欧という言葉を聞くと、どんなイメージがあるでしょうか。寒いけれど、自然が豊かで高い人権意識があり、治安がよく、平和な国という印象を持っている人もいるでしょう。女性が活躍していることもニュースになっています。ヴァイキングを思い出す人もいるかもしれません。

私のような世代には、福祉が充実した〝夢のような国〟という印象がありました。社会福祉のあり方を学ぶため、日本各地から大勢の視察団がスウェーデンを訪れてきました。

一方、私より少し下の世代では、「福祉が充実しすぎて経済が停滞している」という印象でしょうか。

あるいは、「学力世界一のフィンランド」というのもニュースになりました。

実は北欧といっても、多様な国々から成り立っています。アイスランドは欧州大陸から離れていることが、自国の防衛の上ではプラスになり、軍隊を持たないという小国です。

火山が多く、温泉が湧き、地熱発電や水力発電で国の電力をまかなうことができるという、日本にとって羨ましい国です。冬になると、日本から「オーロラを見るツアー」で大勢の観光客が訪れます。

デンマークといえば、酪農が盛んな国。美味しいチーズを想起する人もいるのではないでしょうか。

捕鯨が盛んなノルウェー。ヨーロッパに位置しながらＥＵ（欧州連合）に加盟せず、我が道を歩んでいます。

そしてスウェーデン。社会福祉の充実ぶりは、日本でしばしば紹介されてきましたが、一時は経済が停滞してしまう弊害もありました。人間は、あまりに安楽な生活が保障されると、つい怠けてしまうものなのですね。そこでスウェーデンは、人々が頑張る気になるような施策に切り替えたことで、経済が復活しました。家具のイケア（ＩＫＥＡ）も有名ですね。

そのスウェーデンは、ロシアがウクライナに軍事侵攻したのを見て、長年の中立政策を改め、ＮＡＴＯ《ナトー》（北大西洋条約機構）に加盟する方針を打ち出しました。

ところが、ＮＡＴＯに加盟するにはＮＡＴＯ加盟国全部の賛成がなければいけないのですが、トルコの反対で加盟問題が足踏みする事態になりました。人権を大切にするスウェーデンの方針が、「テロリストをかくまっている」と文句をつけられたのです。

トルコでは少数民族のクルド人による独立運動があり、現在のエルドアン政権は、これを弾圧。弾圧を逃れてスウェーデンに亡命したクルド人がいるのですが、エルドアン政権は「彼らはテロリストだから引き渡せ」と要求しています。それぞれの国で人権に対する考え方には違いがあり、それが国の安全保障にも影響が出ているのです。

その一方で、スウェーデンとともにＮＡＴＯへの加盟を求めたフィンランドは加盟が認められました。地図で見ると、フィンランドはロシアとスウェーデンの間に位置しますから、フィンランドがＮＡＴＯによって守られれば、結局はスウェーデンも守られるという構図になっています。

そのフィンランドは、ロシアと長い国境を接していながら、ＮＡＴＯには加盟しないで中立政策を維持してきました。ロシアの軍事的脅威を感じないのかと思ってしまいますが、実はフィンランドは軍事的脅威を感じるからこそ、あえて中立政策をとってきました。それは、かつてロシアの前身のソ連（ソビエト社会主義共和国連邦）の侵略を受けて、大きな犠牲を出したからなのです。

犠牲を出したのに中立政策をとってきたとは、どういうことか。それは、本文をお読みください。

私たちが漠然と抱いてきた北欧へのイメージは、きっと本書で覆されるはずです。と同時に、国の安全保障にはいろんな考え方があるものだと痛感することでしょう。

２０２２年２月に起きたロシアによるウクライナ軍事侵攻は、世界の姿を大きく変えました。北欧も大きく変わりつつあるのです。

過去長い間、北欧は私たちにとって、さまざまなお手本でした。いまもまだ、私たちが学べることは多いのです。

２０２３年６月

ジャーナリスト・名城大学教授・東京工業大学特命教授　池上　彰

目次

池上彰の世界の見方　北欧

幸せな国々に迫るロシアの影

はじめに　3

第1章　北欧の国々とはどんな国か　13

「幸福先進国」にも悩みがある／身近に存在する北欧ブランド／サウナブームとムーミン人気／北欧の国にそれぞれ言語がある理由／よく似た国旗と王室の事情／フィンランドの教育体制が生んだ若き女性首相／厳寒で人口が少ない国を維持するには

第2章　NATOと北欧・ロシア　49

ロシア戦車のZマークはなんのためか／東西両陣営の恐怖心から生まれた軍事同盟／冷戦が終わってもNATOは残った／NATOの東方拡大とプーチンの怒り／スウェーデンとフィンランドに共通する敗戦の記憶／ヴァイキングから始まる北欧の歴史／中世はデンマーク、近世はスウェーデンが大国に／ドイツが、ソ連が、北欧に攻めてきた／スウェーデンとフィンランドがNATOに加盟申請

第3章 フィンランド——2度の戦争から教育大国へ 87

「冬戦争」とウクライナ危機の類似／フィンランドはなぜ善戦したのか／「継続戦争」はどんな戦争だったのか／枢軸国側での敗戦と高い賠償／「よき納税者を育てる」が教育目標に／フィンランドの学校へ行ってみた／教師の質が高く、信頼されている／日本の教育にフィンランドの影響／ＰＩＳＡの順位の読み取り方

第4章 スウェーデンとデンマーク——福祉と軍事に独自の観点 125

北欧＝高福祉を主導したスウェーデン／高福祉の弊害とリスキリング／高い税金をなぜ容認できるのか？／武装中立から平和国家へ／ＮＡＴＯ加盟とクルド人問題／デンマークはなぜ酪農大国になったのか／「デンマーク・ショック」とは？／ディズニーもアンデルセンも訪れた遊園地／トランプ前大統領が買収しようとしたグリーンランド

第5章　ノルウェーとアイスランド――EUに加盟せず、国際平和へ貢献　159
EUに加盟していないノルウェー／ノーベル平和賞はなぜノルウェーで選ぶのか／国際紛争の解決に力を発揮／ノーベル平和賞の受賞者が問題になることも／「クオータ制」はノルウェーで始まった／アイスランドは再生可能エネルギー大国／ビットコインのマイニング事業が集中／東西冷戦を終わらせたレイキャビク会談／「タラ戦争」とEU加盟問題／アイスランド人は本好き

第6章　北欧諸国から何を学ぶか　199
核のゴミの処分場で見た合理的精神／デンマークの選挙投票率は常に80％以上／世の中を変えるには意識改革が必須／北欧も低い出生率に悩んでいる／日本の学校の先生は北欧型に近づけるか／環境活動家グレタ・トゥーンベリの闘い／クオータ制のような思い切った改革を／能力の高い「吹きこぼれ」の子どもをどうするか／北欧の制度から日本に導入できそうなものを選ぶ／将来を見据えて、いつ何をするか考える

「北欧」について、さらに学びたい人のために　231

北欧略年表 232
おわりに 234

本書の情報は２０２３年6月末現在のものです。

本書は、東京都立小石川中等教育学校で行われた授業をもとに、適宜加筆して構成しています。

第1章

北欧の国々とは
どんな国か

「幸福先進国」にも悩みがある

北欧とは、一般的にスカンディナビア半島のノルウェー、スウェーデン、フィンランドと、ユトランド半島及び周辺の島々からなるデンマーク、そして北大西洋に位置するアイスランドを指します。忘れられがちですが、北極海と北大西洋の間にある世界最大の島グリーンランドはデンマークの自治領です。地図だとすごく大きく見えるでしょう（左ページ地図①右下）。でも、実際は日本の約6倍の大きさです。これは地図の図法によるゆがみのせいで、地球儀で見ると正確な大きさがわかります。

日本から遠いヨーロッパの北の地方の国々ですが、北欧家具や、シンプルで機能的な雑貨などが人気で、意外と身近な印象を抱いている人が多いかもしれません。みなさんはどんな印象を持っていますか？

——**北のほうにあるので、とても寒い**（笑）。

実に素直でいい回答だね（笑）。みんな笑っているけど「とても寒い」というのが、実は現在の北欧の国々を形づくる意外に大きな要素になっているのです。追って話していきましょう。じゃあ、手を挙げている後ろの人に聞こうか。

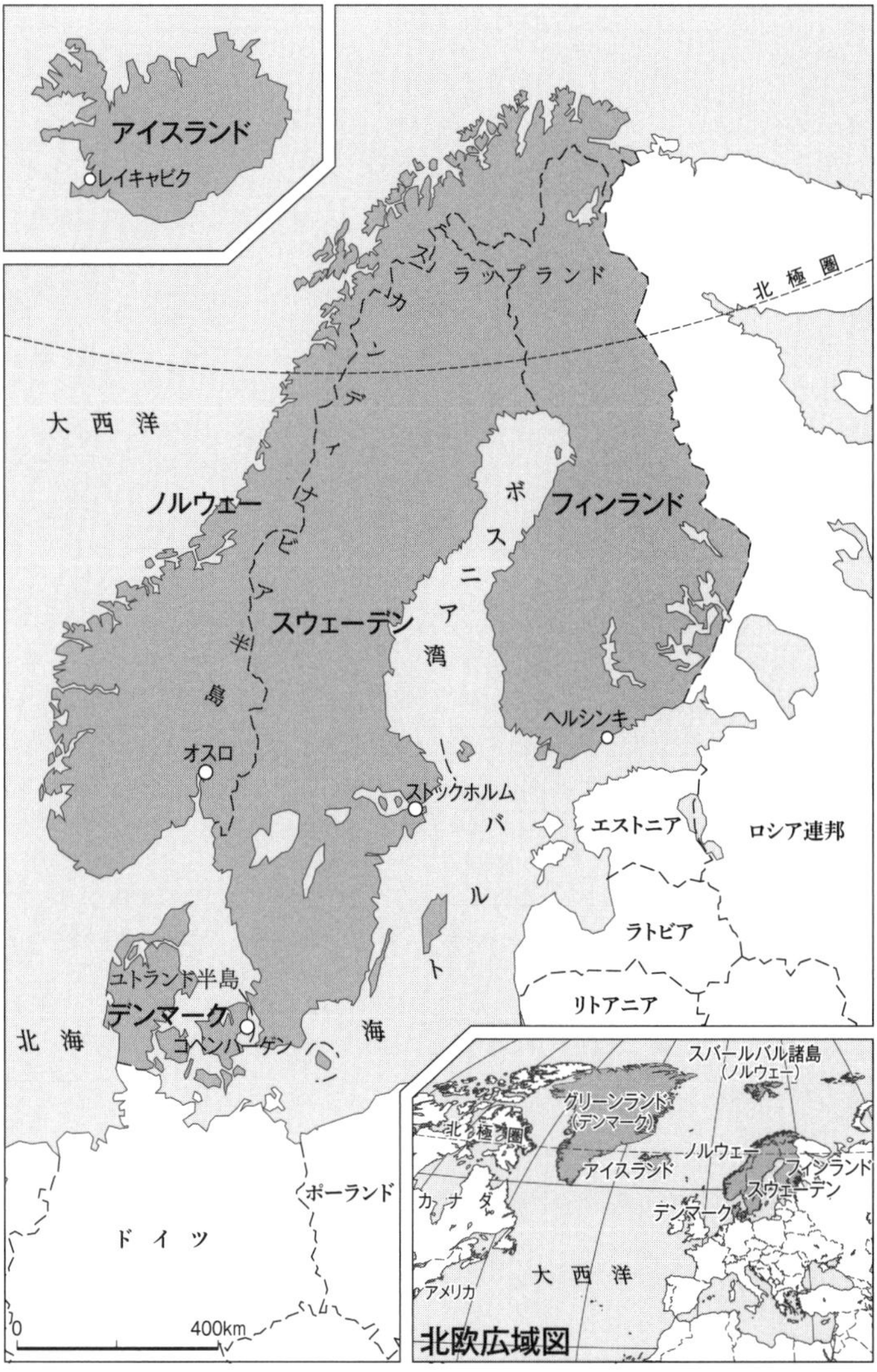
アイスランド
レイキャビク
ラップランド
北極圏
大西洋
ノルウェー
スカンディナビア半島
ボスニア湾
フィンランド
スウェーデン
ヘルシンキ
オスロ
ストックホルム
バルト海
エストニア
ロシア連邦
ラトビア
リトアニア
ユトランド半島
デンマーク
コペンハーゲン
北海
ポーランド
ドイツ
0
400km
スバールバル諸島
（ノルウェー）
グリーンランド
（デンマーク）
北極圏
ノルウェー
アイスランド
フィンランド
スウェーデン
カナダ
デンマーク
大西洋
アメリカ
北欧広域図

地図①—北欧地図

――**高福祉と高い教育レベルのイメージです。**

確かに、北欧の国々は社会保障や教育費の補助が手厚くて羨ましいよね。君たちに関係があることで言うと、公立の大学は学費が無料です。スウェーデンでは私立大学も無料になっています。では、どうやって高福祉と高い教育レベルを実現しているのだろうか。一緒に考えていきましょう。ほかには？

――**ネット文化の普及が進んでいる。高齢者もネットを使っていると聞きます。**

北欧諸国ではＩＴの活用が日本より早く進みました。コロナ禍の前になりますが、短期間スウェーデンに行った時、一応１万円分だけ現地のスウェーデン・クローナに換金したんです。結局まったく現金を使うことなくスウェーデンを出国しました。電子決済が進んでいて、ほぼ完全なキャッシュレス社会になっています。デジタル化も非常に進んでいますね。

――**ジェンダーギャップ（男女格差）が少ない印象があります。**

ジェンダー（gender）は、生物学的な性別（sex）と違って「男らしい」とか「女らしい」とかいう社会や文化によってつくられてきた性差のことを指しますね。世界経済フォーラム（ＷＥＦ）が毎年各国の男女格差を数値化して発表しています（左ページ図表①）。２０２３年のジェンダー平等トップがアイスランドで、北欧の国が軒並み上位にランキングされています。それに対し、日本は先進国の中で最低レベル（125位）。なぜ、そういうことになるのかも考えていこうね。

――**「世界幸福度ランキング」ってありますよね。それも同じように北欧諸国が上位を占めて、日本の順位は低いですよね。**

はい、そのとおりです。「世界幸福度ランキング」（P18図表②）は国連の調査機関が約150の国と地域の世論調査をもとに、ひとり当たりのGDP、社会的支援の充実、健康寿命、他者への寛容さなどの要素を加味して決めるランキングです。このところ6年連続でフィンランドが1位、北欧5か国は最新の調査ですべて7位以内に入っています。日本は47位で、ジェンダー平等と同じく先進国の中で最低レベルなのです。

図表①―**ジェンダーギャップ指数ランキング**

｜出典：世界経済フォーラム「世界ジェンダーギャップ報告2023」

ジェンダーギャップ指数は、以下の4分野の統計データから算出される。①経済（労働参加率・同一労働における賃金の男女格差、管理職の男女比、専門技術者の男女比）②政治（国会議員・閣僚の男女比、過去50年間の行政府の長の在任年数における男女比）③教育（識字率の男女比、初等教育・中等教育・高等教育就学率の男女比）④健康（出生児性比・健康寿命の男女比）
数値は格差がなくなれば「1」に、格差が大きければ「0」に近づく。数値の横の（　）はそのカテゴリーでの順位

	国名（全146か国）	総合	経済	教育	健康	政治
1	アイスランド	0.912	0.796(14)	0.991(79)	0.961(128)	0.901(1)
2	ノルウェー	0.879	0.800(11)	0.989(84)	0.961(127)	0.765(2)
3	フィンランド	0.863	0.783(20)	1.000(1)	0.970(71)	0.700(4)
4	ニュージーランド	0.856	0.732(42)	1.000(1)	0.966(101)	0.725(3)
5	スウェーデン	0.815	0.795(15)	1.000(1)	0.963(118)	0.503(11)
6	ドイツ	0.815	0.665(88)	0.989(82)	0.972(64)	0.634(5)
7	ニカラグア	0.811	0.640(98)	1.000(1)	0.978(34)	0.626(6)
8	ナミビア	0.802	0.784(19)	1.000(1)	0.980(1)	0.443(23)
9	リトアニア	0.800	0.767(26)	0.989(83)	0.980(1)	0.466(20)
10	ベルギー	0.796	0.728(44)	1.000(1)	0.968(91)	0.486(16)
15	イギリス	0.792	0.731(43)	0.999(34)	0.965(105)	0.472(19)
43	アメリカ	0.748	0.780(21)	0.995(59)	0.970(78)	0.248(63)
105	韓国	0.680	0.597(114)	0.977(104)	0.976(46)	0.169(88)
107	中国	0.678	0.727(45)	0.935(123)	0.937(145)	0.114(114)
125	日本	0.647	0.561(123)	0.997(47)	0.973(59)	0.057(138)

—男性同士で結婚し、子どもを育てているユーチューバーのスウェーデン人を知っているのですが、ＬＧＢＴＱ（性的少数者の総称）に関する制度が進んでいると思います。

北欧では、５か国すべてが同性婚を法律で認めています。ＬＧＢＴＱに対する社会の寛容度が非常に高いといえますね。

—ジェンダー平等とかＬＧＢＴＱの権利とか先進的な部分が評価されがちなんですけど、あまりに急進的すぎてついていけない人もいるのではないでしょうか。スウェーデンでは、女性に活躍の場を奪われてドメスティック・バイオレンス（ＤＶ）の加害者になってしまう男性が増えているという記事を読みました。だから、北欧のやり方を礼賛せず、ひとつの参考例として見るのが正しいのかなと思

図表②—**世界幸福度ランキング**

｜出典：国連持続可能開発ソリューションネットワーク世界幸福度報告2023

世界幸福度ランキングは主にアンケートによる「主観的な幸福度」によって決定される。自身の幸福度が0～10までの11段階中どこに当てはまるのかの回答に、以下の6つの項目を加味して査定される。①1人当たり国内総生産（GDP）②社会的支援の充実（社会保障制度など）③健康寿命④人生の選択における自由度⑤他者への寛容さ（寄付活動など）⑥国への信頼度（腐敗を感じる程度）
数値は最低の国（数値0）よりどれだけいいかを示している。

	国名（全137か国）	幸福度評価	GDP	社会的支援	健康寿命	自由度	寛容度	国への信頼度
1	フィンランド	7.804	1.888	1.585	0.535	0.772	0.126	0.535
2	デンマーク	7.586	1.949	1.548	0.537	0.734	0.208	0.525
3	アイスランド	7.530	1.926	1.620	0.559	0.738	0.250	0.187
4	イスラエル	7.473	1.833	1.521	0.577	0.569	0.124	0.158
5	オランダ	7.403	1.942	1.488	0.545	0.672	0.251	0.394
6	スウェーデン	7.395	1.921	1.510	0.562	0.754	0.225	0.520
7	ノルウェー	7.315	1.994	1.521	0.544	0.752	0.212	0.463
8	スイス	7.240	2.022	1.463	0.582	0.678	0.151	0.475
9	ルクセンブルク	7.228	2.200	1.357	0.549	0.710	0.149	0.418
10	ニュージーランド	7.123	1.842	1.544	0.513	0.672	0.230	0.471
15	アメリカ	6.894	1.980	1.460	0.390	0.557	0.210	0.172
19	イギリス	6.796	1.857	1.366	0.511	0.626	0.272	0.340
47	日本	6.129	1.825	1.396	0.622	0.556	0.009	0.207
57	韓国	5.951	1.853	1.188	0.603	0.446	0.112	0.163
64	中国	5.818	1.510	1.249	0.468	0.666	0.115	0.145

うのですが。

しっかり予習してきましたね、ありがとう。北欧って、ある種、私たちは理想の国として見がちなのですが、そこには普通の人々が暮らしているのだから、いろんな問題が出てくるよね。男女格差が小さい北欧でも、価値観の変化に対応できない男性が大勢いるのです。スウェーデンには、心理カウンセラーがＤＶ加害者の男性にセラピーやグループワークを行って更生させる国の施設があります。

――大勢の難民を受け入れてきたために、犯罪の件数が増えていると聞いています。

そうですね、実は、北欧諸国で難民や移民の受け入れが、非常に大きな問題になっています。「難民」と「移民」は同じ意味のように使われていますが、このふたつは違います。

Q 難民と移民はどこが違うと思いますか？

――難民は戦争や迫害で仕方なく国を出た人。移民は、お金を稼ぎたいとか、自分の意思でよその国に移り住む人たち。

そうですね。一般的に、難民は戦争・迫害などの恐怖から止《や》むを得ず国を逃れた人、移民は生活のために自分の意思で国を離れた人と区別されています。世界の主な国々が加盟している難民条約では、難民を「人種、宗教、国籍もしくは特定の社会的集団に属するなどの理由で、迫害を受ける恐れがあるために他国へ逃れた人」というように定めています。

一方、移民については難民条約のような定義はありませんが、国連経済社会局が「移住の理由や法的地位に関係なく定住国を変更した人々」と説明しています。

北欧諸国は人種の違いや異質なものに対して寛容な社会でしょう。差別に関して非常に敏感で、差別してはいけないという意識をみんなが持っている。だから、難民や移民を積極的に受け入れてきました。特に、２０１５年頃からシリア難民が大挙してヨーロッパに押し寄せるようになりましたが、北欧諸国は彼らを温かく迎え入れました。

中東から来た難民の大半はイスラム教徒です。一日に5回のお祈りをするとか、明らかに違う文化を持ち込んで大切に守ろうとする。最初のうちは難民の数も少ないから寛容に受け入れても、次第に増えてくると、難民たちへの反感が生まれやすくなります。

北欧は社会保障が充実しているから、難民や移民たちは仕事が見つからなくても生活保護でかなりいい暮らしができるわけだよね。その様子を見ると、我々の税金であの連中を養っているのにちっとも感謝していないといった反発が出てきています。選挙のたびに反移民を掲げる政党が勢力を伸ばしているのです。そんな現在の問題も考えていければいいなと思います。

身近に存在する北欧ブランド

Q 北欧ブランドの製品は私たちの身近にたくさんあります。どんなものがありますか？

――うちにはイケアの家具がたくさんあるんですけど（笑）。

イケア（P24図表③）は、スウェーデン発祥の世界最大の家具メーカーだね。日本でもとても人気があります。なんで人気になっているかわかる？

――値段が安くて、デザインもいいから。

――「組み立て式」なので、材料のセットを車で持ち帰って、すぐに組み立てられるところ。ねじで組み立てるだけなので簡単にできます。

――ちょっと郊外に店を構えていることが多くて、車でわざわざ行ったんだから買わなきゃと思う（笑）。

みんな、それぞれいい視点だね。イケアの最大の特徴は、家具の組み立てを自分で行うことで、それが人気の秘密といわれています。「えーっ、面倒くさい」と思ったかな？

確かにできあがったものを配送してもらうほうが楽だよね、でも自分で組み立てたものには愛着が湧きます。大事に使いたいと思うでしょう。みんなも似た経験があるんじゃないかな。イケアで買って自分で組み立てたものに愛着が湧けば、ほかのものも買おうかなと、またイケアに行きたくなる。自分で組み立てなければならない、という面倒くさいやり方をしたからこそ人気が出たという側面があります。日本では、ニトリとライバル関係になっていますね。さあ、ほかにも、まだまだ北欧ブランドがたくさんあります、誰か挙げられますか?

——同じスウェーデンですけど、自動車のボルボ(VOLVO)。

はい、ボルボは100年近い歴史のある世界有数の自動車メーカーだね。現在、一般的な車に使われている3点式シートベルトを初めて導入したのがボルボです。安全性に信頼が高く、昔は質実剛健を絵に描いたような車でしたが、最近はかなりスタイリッシュになっていて、日本でも人気が高いですね。現在は株式の8割以上を中国企業が持っています。

——組み立てブロックのレゴ(LEGO)があります。

そう、君たちが子どもの頃よく遊んだレゴブロックは、デンマークのおもちゃ会社です。社名のレゴは、デンマーク語で「よく遊べ」という意味の「Leg Godt」から考えた造語で、レゴにはラテン語で「組み立てる」という意味があるそうです。世界中で愛されているレゴブロックですが、今世紀に入って環境問題に注目が集まると、思わぬ批判を受けることになりました。レゴブロックの年間生産量は約10万トンに及びますが、素材が石油由来のプラスチックだったからです。
レゴは2015年に「2030年までにレゴブロックの素材にプラスチックを使うのをやめて、持続可能な新素材にする」と発表し、研究開発に多額の資金を投じました。環境問題や持続可能性の向上に取り組むのは企業の社会責任という考え方が欧米を中心に広がっています。新素材の開発は現在も続いていますが、2021年にペットボトルを再利用したブロックの試作品を発表しましたね。最終的に、どんな新素材のレゴができるのか注目していきましょう。
デンマークといえば、北欧の100円ショップと呼ばれる「フライングタイガー コペンハーゲン」を知っていますか？ だいぶ前にコペンハーゲンに行った時に、初めてお店に入ってみたら、100円均一じゃないけど日本のダイソーみたいな感じで、安くておしゃれなものがいっぱいありました。今では日本国内にも店舗があります。

――**音楽アプリのスポティファイ（Spotify）がどこか北欧の会社じゃなかったかと……。**

そうだね、音楽やビデオ、ポッドキャストのデジタル配信サービスのスポティファイは、スウェーデンの企業によって運営されています。2008年にサービスを開始したばかりだけど、現在は音楽配信サービスの最大手に成長しています。

図表③ **―北欧の企業やブランド名、いくつ知っていますか?**

イケア IKEA	スウェーデン発祥で世界最大の家具メーカー。製造から販売まで手がける経営方針で業績を伸ばす。創業は1943年。
ボルボ VOLVO	スウェーデンの大手自動車メーカー。生産規模は大きくないが乗用車は世界的に人気。1927年創業。
レゴ LEGO	デンマークのおもちゃ会社。プラスチック製の組み立てブロックが一躍人気となり、世界有数の玩具メーカーに。1932年創業。
フライングタイガー コペンハーゲン Flying Tiger Copenhagen	デンマークの企業ゼブラが運営する雑貨店で「北欧の100円ショップ」と呼ばれる。1988年、初店舗がオープン。
スポティファイ Spotify	スウェーデン発祥の音楽・ビデオ・ポッドキャストのデジタル配信サービス。2008年サービス開始。
ノキア NOKIA	フィンランドの電気通信機器メーカー。1998年から2011年まで携帯電話端末の世界シェア第1位。1865年創業。
エイチアンドエム H&M	スウェーデンの服飾メーカー。低価格でファッション性に富んだ衣料品で世界に約5000店舗を展開。1947年創業。
マリメッコ marimekko	フィンランドのライフスタイルブランド。服、インテリア用品、生活雑貨などを製造販売。1951年創業。

横浜市にあるIKEA港北。売り場面積2万5024平方メートルの大型店舗の中に北欧風の家具、インテリア雑貨がずらりと並ぶ|画像提供:イケア・ジャパン

それと、忘れてはならないのがノキア（NOKIA）でしょうね。1980年代に携帯電話事業に進出して成功し、トップのシェアを誇っていたフィンランドの会社です。しかし、アイフォーン（iPhone）やアンドロイド（Android）のスマホが登場してから、次第に失速し、携帯電話事業を手放すことになってしまいました。それでも、現在は通信機器ビジネスで復活を果たし、次世代通信5Gのキープレーヤーといわれる有力企業になっていますね。

さらに、ファストファッションでユニクロのライバルにあたるエイチアンドエム（H&M）がスウェーデン、生活雑貨が人気のマリメッコ（marimekko）はフィンランドの企業です（右ページ図表③）。

日本ではよく「北欧デザイン」という言い方をするよね。自然が豊かな北欧ならではのシンプルで温かみのあるデザインのことを、ひとくくりにして北欧デザインと呼んでいます。

北欧諸国は緯度の高い位置にあるから、冬の夜が長くて日照時間が短いでしょう。自然と家の中で過ごす時間が長くなるわけ。だから、家の中で快適に過ごすための家具やインテリアに工夫を凝らす。そういうライフスタイルの中からすぐれたデザインや、機能性をよく考えたものがつくられるようになったのでしょう。

サウナブームとムーミン人気

最近でいえば、サウナブームですよね。サウナのあとの爽快感を表す「ととのう」という言葉が、２０２１年の流行語大賞の候補になりました。そもそもサウナは、フィンランド発祥といわれています。出産場所として使われたり、遺体を清めたりする神聖な場所だったそうです。今では自宅にサウナがある人も多く、マンションのような集合住宅でも一階や地下にサウナがあって、フィンランド人の生活に欠かせないものとなっています。

Q サウナが日本に普及するきっかけになった出来事があります。何かわかりますか？

――？？？

君たちが生まれるずっと前のことだからわからないかな。それは、１９６４年の東京オリンピックです。現在の代々木公園に設置された選手村に、フィンランドからサウナ施設が持ち込まれて、各国の選手たちにとても好評だったんですね。

それまで、日本人はサウナを「蒸し風呂」だと思っていました。サウナは低湿度の高温乾燥部屋で入浴しますが、蒸し風呂は高湿度の蒸気に包まれて入浴します。まったく異なる入浴法ですよね。当時のニュース映像を見ると、駐日フィンランド大使がサウナに座り、こうやって熱い蒸気で汗を流すのだと紹介しています。このようなフィンランド大使館のバックアップもあって、サウナが少しずつ全国に広まったのです。

あるいは、フィンランドといえば、「ムーミン」が有名だよね。ムーミンシリーズの原作者であるトーベ・ヤンソン（１９１４～２００１年）は、画家であり、児童文学作家であり、大人向けの小説も書いた才能あふれる女性でした。若い時に男性と交際しましたが、別れたあとは複数の女性と恋愛関係になりました。つまり、トーベは今でいうＬＧＢＴＱだったわけです。

現在は先進的なフィンランドも、当時は同性愛を病気や犯罪ととらえていました。それでも、トーベはなんら恥じることなく、パートナーの女性と45年間一緒に暮らしました。バッシングはあったろうけど、ムーミンという世界中で愛される作品を生み出した人自身を評価しようと、次第に世の中が変わっていったのです。日本でもムーミンの物語はとても人気があります。埼玉県飯能市に、フィンランド以外では世界で初の「ムーミンバレーパーク」が２０１９年に開設され、話題になりましたね。同市にはほかにトーベにちなんだ公園もあります。

さあ、どうでしょう、こうして北欧生まれのものを見ていくと、私たちの生活の中に、北欧ブランドが思ったより多くあると思いませんか？　文化やブランドの歴史を知ると、北欧ってどんなところか、少しわかってきましたね。

——北欧は平和な国々のイメージだったのですが、歴史を調べてみると、デンマークとスウェーデンが戦争をしていたり、ノルウェーやフィンランドがスウェーデンに支配されていたりして、現在は仲がいいのかどうか気になります。

以前デンマークの港に行った時、対岸にスウェーデンが見えるわけです。すると、デンマーク人がスウェーデンの方を見て、「あの国は大嫌いだ」という話をしていて驚きました。デンマークとスウェーデンが戦争をしたのは17世紀半ばのことです。現在は仲よくなっているのかと思っていたら、やっぱり両国の長い歴史の中で、まだそういう意識を持っている人がいるんだなと思いました。

北欧諸国が現在のような5か国になったのは20世紀になってからで、中世はデンマーク、近世にはスウェーデンが大国になって、近隣の国を支配する構図だったんだよね。その影響は20世紀に入っても残りました。

先ほど話したムーミンの作者トーベ・ヤンソンはフィンランド人ですが、ムーミンシリーズはスウェーデン語で書かれています。トーベの父親はスウェーデン語系フィンランド人で、母親はスウェーデン人。トーベはスウェーデン語を母語として育ったのです。12世紀から19世紀初頭まで、フィンランドはスウェーデンに支配されていました。スウェーデンに隣接するフィンランドの西側にはスウェーデン人が多く入植していたため、スウェーデン語を話していたのです。

フィンランドでは、今でもフィンランド語とスウェーデン語を公用語にしていますが、スウェーデン語を話す人は人口の約5%とわずかです。トーベの時代はもう少し多かったようですが、言語少数派として育ったことでマイノリティの自覚を持ち、それがムーミン作品に影響を与えたといわれています。

北欧の国にそれぞれ言語がある理由

——北欧って、私たちはひとつの地域としてイメージしがちですが、言語はそれぞれの国で違うんですね……。

いいところに気づきました。北欧の言語はフィンランド語を除いて、ゲルマン系の言語グループに属します。英語、ドイツ語、オランダ語などがゲルマン系だよね。だから、スウェーデンやノルウェーに行くと、文字を見てもなんとなく英単語からの類推で意味がわかるんです。だけど、フィンランド語はまったく異質で、何を意味するかさっぱりわかりませんでした。フィンランド語はウラル語族という別の言語グループに属するのです。ハンガリー語やエストニア語に近いといわれていますね。では、ここで質問です。

Q ゲルマン系の4か国の言語が、確立したきっかけはなんでしょうか？16世紀のある出来事が関係していると言ったらわかりますか？

―**？？？**

ヒントを出しましょうか。北欧各国の「基礎データ」の図表（P89、127、146、161、183）を見てください。宗教のところを見ると、みんな「キリスト教の福音ルーテル派」になっているでしょう。

―**宗教改革ですか！**

正解です。福音ルーテル派はルター派ともいいますね。カトリックのローマ教皇が売り出した贖宥状《しょくゆうじょう》（免罪符）に抗議して「九十五カ条の論題」を発表し、宗教改革運動の発端となったドイツの神学者マルティン・ルターに始まる教派です。ルターは、魂の救いはキリストの教え（福音）、すなわち聖書のみによると主張して、聖書をドイツ語に翻訳しました。それまでの聖書は、ギリシャ語かラテン語で書かれていて、読めるのは一部の人だけだったのです。

これは非常に大きな出来事で、民衆が直接キリストの教えに接することができるようになると同時に、近代ドイツ語の統一に大きな役割を果たしたといわれています。ルターは出身地のザクセン地方の官庁語をもとに翻訳したのですが、これがほかのドイツ語地域にも広まっていったのです。当時の最新技術だった活版印刷術が、翻訳聖書の普及に貢献したことも忘れてはいけませんね。

その後、聖書の母国語訳はヨーロッパ各国で行われ、北欧でもスウェーデン語やノルウェー語、フィンランド語の聖書が出版されます。そして、ドイツ語と同じように、聖書が訳されたり読まれたりする過程で、それぞれの国の言語が確立していったという歴史があるんです。結果的に、北欧諸国はみんな福音ルーテル派になりました。

ただし、フィンランドだけは、ロシアの支配下にあった関係で、ロシア正教の影響も受け、現在では約1パーセント強が正教会の信者で、福音ルーテル派とともにフィンランドの国教（国の宗教）となっています。


――2022年のロシアのウクライナ侵攻まで、スウェーデンとフィンランドは中立路線で、ロシアに配慮していたと知りました。東西冷戦の時代、アジアでは朝鮮半島やベトナムが東西分断の最前線になりましたが、ヨーロッパでは北欧が影響を受けていたのですか？

なるほど。フィンランドは長い間スウェーデンに支配されていたけれど、19世紀初頭に、ロシアの領土になってしまった。その約100年後にロシア革命が起き、ソ連ができた時に、フィンランドは絶好のチャンスと見て独立を果たしました。でもソ連は、フィンランドを西側との緩衝地帯にしておきたいので、俺の言うことを聞け、という圧力をかけ続けました。あなたの言うとおり、北欧、特にフィンランドは東西冷戦の最前線だったのです。そして、ソ連が崩壊して現在のロシアになっても、その脅威は変わりませんでした。

ちょっと、地図（P15地図①）を見てください。フィンランドとロシアは国境を接していて、しかも長いでしょう。1300キロメートル以上あります。近年、「地政学」という言葉が流行していて、地政学に関する本がたくさん出ていますね。ひと言でいえば、地理的な観点から世界情勢を見ていこうという学問です。

ロシアの隣にあるフィンランドは、隣国であるロシアとの関係に苦慮してきました。第二次世界大戦ではナチス・ドイツからの圧力も受け、板ばさみ状態になりました。国を存続させるにはどうすればよいか、必死で考えざるを得なかったのです。それは、スカンディナビア半島に位置するスウェーデンやノルウェーにも共通する悩みでした。

フィンランドとスウェーデンが、ロシアのウクライナ侵攻に伴い、なぜＮＡＴＯに加盟申請したかを理解するには、北欧の歴史を知る必要があります。次の第2章で詳しく説明しましょう。

よく似た国旗と王室の事情

北欧5か国の国旗を見てみましょう（P34図表④）。十字の太さや重なりが違うだけで、みんな同じようだよね。本当によく似ている。十字がベースになっているけど、真ん中になくて縦の線が中心より旗竿のほうに寄っているのが特徴です。この十字は「スカンディナビア十字」と呼ばれています。十字なのは、もちろんキリスト教圏だからだね。

北欧にはキリスト教が9世紀に伝来し、北欧諸国の王が次々とキリスト教に改宗しました。13世紀になると、北欧の諸王はキリスト教の伝道と領地の拡大を目的に、北方十字軍と呼ばれる遠征を行います。１２１9年に、時のデンマーク王が現在のエストニアで異教徒と戦っていると、赤地に白十字の旗が天から舞い降りてきて勝利を収めたという伝説があります。この伝説をもとに、デンマークの旗がつくられました。そして、デンマークの国旗をベースにして、ほかの北欧諸国の国旗がつくられたといわれています。

――フィンランドの十字はやや太いですね。

十字の太さに特別な意味はありませんが、フィンランドはロシアに占領されていた時（1

８０９〜１９１７年）、ロシアと同じ国旗を使用していました。屈辱的だよね、フィンランド人にしてみれば、独立して自分たちの国をつくりたいという思いをずっと抱えていたわけだよね。ロシア革命の混乱に乗じて、ようやく独立を果たすことができた。その時に、自分たちは北欧の一員なんだという思いを込めて、あえてデンマークやスウェーデン、ノルウェーと同じような国旗にしたのです。

――北欧５か国のうち、３か国に王室が存在します。北欧に王室が多いのはなぜですか？

デンマーク、スウェーデン、ノルウェーはいずれも立憲君主制で、国王（女王）に政治的な力は一切ありませんが、国民統合の象徴として存在しています。王様が絶対的な権力を行使する時代もあったのですが、19世紀以

図表④―**北欧5か国の国旗**

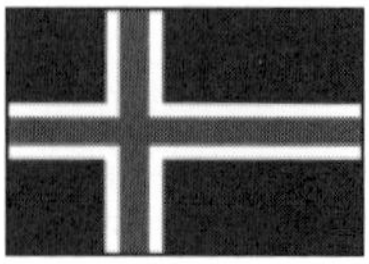

アイスランド

濃紺の地に太い白十字、その上に細い赤の十字

スウェーデン

明るい青地に太い黄十字

デンマーク

赤地に白十字。世界最古の国旗で、「スカンディナビア十字」の基となった

ノルウェー

赤地に太い白十字、その上に細い紺の十字

フィンランド

白地に太くて明るい青十字

降、国民の政治活動・民主化運動によって、どんどん国王の力が奪われていきました。国民の意向を尊重しながら融和し、政治的な権力を放棄した王室が、結果的に生き残ったのです。

フランス革命では、国王と国民が反発し合って、国王がギロチンで命を絶たれてしまったでしょう。革命が行き過ぎるという言い方は変ですが、市民社会への移行期に王様を殺してしまえという国もあれば、穏健に立憲君主制に移行する国もありました。また、王政を維持する場合、別の国から国王を連れて来るというやり方もありました。

ノルウェーは19世紀にスウェーデンの支配下に置かれます。君主が同一の「同君連合」という関係でした。しかし、次第に独立の機運が強まって20世紀初頭に独立を宣言。スウェーデンも阻止できずに容認しました。独立したノルウェーは、王政か共和制かどちらを選ぶか国民投票を行って決めることにしたんだよね。その結果、王政支持が上回ったため、デンマークの王家から王子を迎えて国王にしたのです。この王子はデンマーク王と、スウェーデン・ノルウェー同君時代のカール15世（ノルウェーではカール4世）の娘との婚姻によって生まれた次男なので、ノルウェーにもゆかりがありました（P37図表⑤）。

ノルウェーは独立して最初の王様をデンマークから招いたわけだけど、王室の後継者がいなくなっちゃって、よその国から連れてきた例もあります。イギリスでスチュアート朝のアン女王（在位１７０２〜１４年）に跡継ぎがいなかった時、スチュアート家の血を引くドイツのゲオルグというハノーヴァー選帝侯を連れてきました。ゲオルグを英語読みするとジョージで、ジョージ１世になりました。現在の国王チャールズ3世は、ジョージ１世から始まるハノーヴァー家の直系だから、今のイギリス王室（ウィンザー家）はもともとドイツ系の流れを引いているということになります。イギリスといえば、２０２２年９月にエリザベス女王が亡くなりましたね。

Q 女王がいる国は、現在世界でいくつあると思いますか？

――えっ、イギリス以外にありましたっけ？

――デンマークに女王がいます！

よくデンマークを思い出してくれたね。２０２２年に在位50年を迎えたマルグレーテ女王が、現在、世界で唯一の女王となっています。そのマルグレーテ女王が、同年9月、次男の孫たち4人の王子や王女の称号をはく奪するという声明を出し、デンマークは大騒ぎになりました。女王は、「孫たちが王室の一員であることに伴う責任や配慮に制限されず、広い世界で自分たちの生活を築いてほしい」と語りましたが、次男の王子は不満の意を表明しました。それに対して女王は謝罪しましたが、「困難な決断を下さなければならない

図表⑤—**北欧3国の君主　19世紀以降**

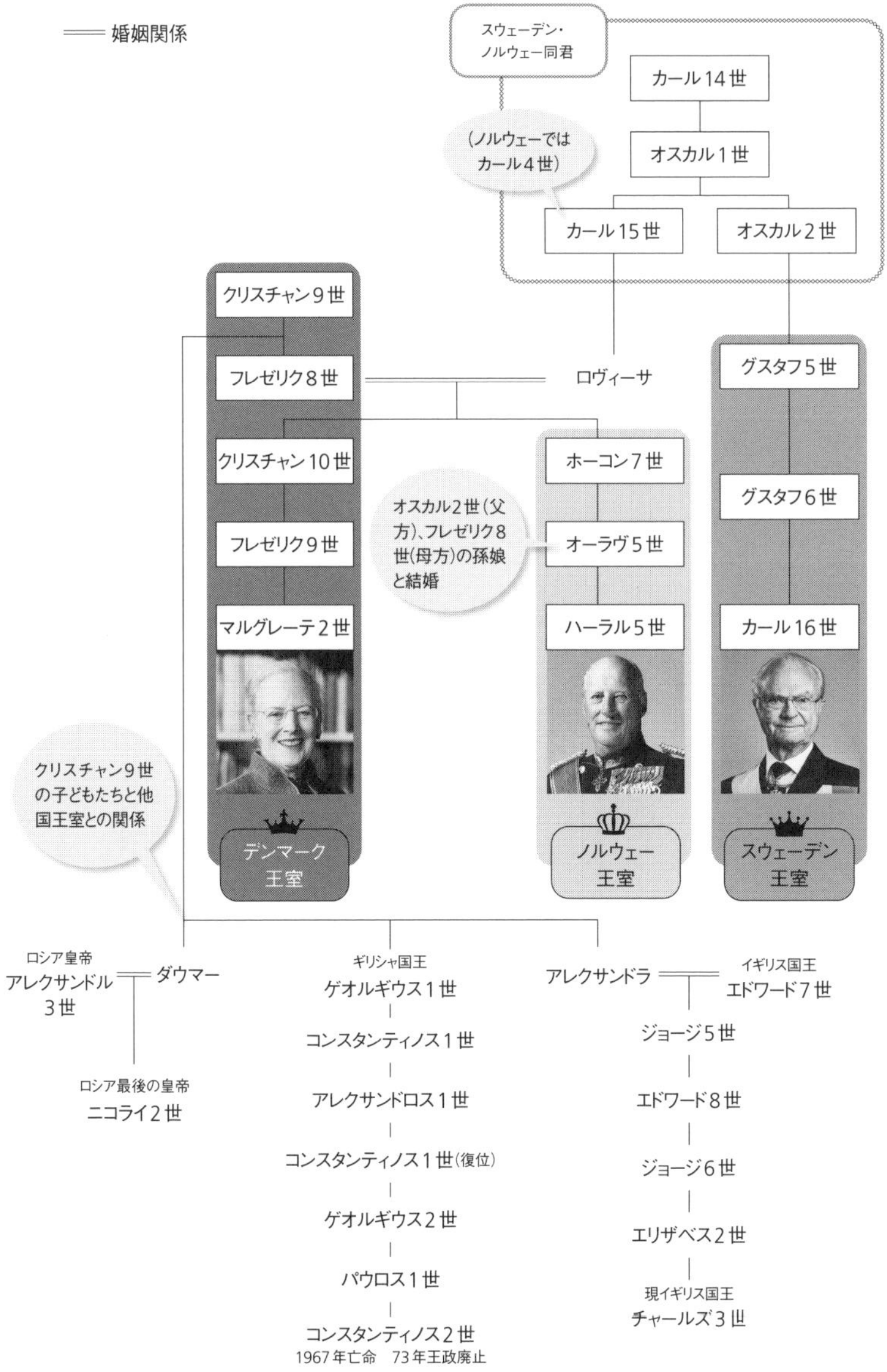
婚姻関係
スウェーデン・ノルウェー同君
カール14世
オスカル1世
（ノルウェーでは カール4世）
カール15世
オスカル2世
クリスチャン9世
フレゼリク8世
ロヴィーサ
グスタフ5世
クリスチャン10世
ホーコン7世
オスカル2世（父方）、フレゼリク8世（母方）の孫娘と結婚
グスタフ6世
フレゼリク9世
オーラヴ5世
マルグレーテ2世
ハーラル5世
カール16世
クリスチャン9世の子どもたちと他国王室との関係
デンマーク王室
ノルウェー王室
スウェーデン王室
ロシア皇帝 アレクサンドル3世
ダウマー
ロシア最後の皇帝 ニコライ2世
ギリシャ国王 ゲオルギウス1世
コンスタンティノス1世
アレクサンドロス1世
コンスタンティノス1世(復位)
ゲオルギウス2世
パウロス1世
コンスタンティノス2世
1967年亡命　73年王政廃止
アレクサンドラ
イギリス国王 エドワード7世
ジョージ5世
エドワード8世
ジョージ6世
エリザベス2世
現イギリス国王 チャールズ3世

こともある」と述べています。

実は、スウェーデンでも2019年に、王位継承権の高い孫ふたりを残し、5人の孫の称号をはく奪すると、国王が発表しています。スウェーデンでは、王室の人数が増えて過去百年で最も多くなっているそうです。王室は税金で維持されているので、費用がかかりすぎだと国民から厳しい目を向けられていました。スウェーデン国王はそういう批判に配慮したわけで、デンマークのマルグレーテ女王も、同じように考えて決断したのでしょう。

ちなみに、王室といえば世界的にもイギリスの王室が人気ですが、王室の歴史を比較すると、デンマークのほうが先なんです。デンマークは10世紀、イギリスは11世紀に王国を創始しました。イギリスのバッキンガム宮殿の衛兵は黒い毛皮のふわふわした大きな帽子の制服で有名ですが、デンマークの衛兵も同じような帽子を着用しています。

——フィンランドとアイスランドは、なぜ共和制になったのですか？

フィンランドは、ロシア革命を機に独立したと話したよね。ところが、どんな国にするかで、独立後に内戦が始まってしまいます。社会主義革命を目指す労働者階級中心の赤衛軍と、資本家階級中心の白衛軍による戦闘です。結局ドイツの支援を受けた白衛軍が勝利し、ドイツから国王を迎えることが決まりますが、ちょうど同じ年に第一次世界大戦でドイツが敗北し、王室がなくなってしまったんだよね。それでフィンランドは共和制に移行し、大統領がいる国になったのです。

――大統領が元首になっていますが、首相との関係はどうなっているのですか？　フィンランドがＮＡＴＯに加盟すると発表したのは、女性のサンナ・マリン首相（当時）でしたが、首相がトップではないのですか？

よく、ニュースを見ていますね。フィンランドの首相は知っていても、大統領が誰か知らないよね。実は、フィンランドでは議院内閣制への制度改革が進み、権限も内閣に移行しています。政府のトップである首相が内閣を組織して政権を運営し、もっとも権力を持っています。元首である大統領は軍の最高司令官になっていますが、形式的な役割にとどまっています。だから、首相のほうがニュースになるわけですね。

一方、アイスランドは9世紀にヴァイキングたちが移住してできた国で、当初から身分の上下がない社会が築かれていました。９３０年頃には「アルシング」という全島集会が設けられ、みんなで議論して物事を決めていたと伝わっています。民主的な衆議の伝統があったとは驚きでしょう。アイスランドの国会議事堂は今もアルシングと呼ばれているそうです。

アイスランドは、13世紀以降ノルウェー、デンマークに長い間支配され、19世紀後半にようやく自治権を得て、１９４４年に完全独立を果たしました。もともと王様や貴族が存在せず、独立後は共和国になっていますが、フィンランドと同様に議院内閣制を採用しています。

フィンランドの教育体制が生んだ若き女性首相

２０２２年5月、フィンランドとスウェーデンがＮＡＴＯに加盟申請すると発表した時、ふたりの女性首相が記者会見の場に登場しました。それを見て、北欧は進んでいるなと感じた人が多かったのではないでしょうか。その後、政権交代があって男性の首相になっていますが、フィンランドのサンナ・マリン前首相は、その若さと意外な生い立ちから世界のメディアの注目を集めました。

サンナ・マリン（左ページ写真①）は２０１９年に34歳で首相になり、当時、世界最年少の指導者として話題になりました。彼女の経歴をたどると、首相になる人物としてはかなり異色であることがわかります。

マリンは１９８５年に首都ヘルシンキで生まれました。幼い頃に、父親のアルコール依存症が原因で、両親が離婚。彼女は母親に育てられますが、母親は高等教育を受けておらず、さまざまな仕事を転々とし、失業していた時期もあったそうです。やがて母親は同性のパートナーと一緒になり、マリンと3人で地方都市タンペレ近郊の公営賃貸住宅で暮らすようになりました。つまり、マリンの母親は男性とも女性とも愛し合うことができるLGBTQだったわけです。同性カップルの家族を「レインボーファミリー」という呼び方をします。レインボーはLGBTQのシンボルカラーですね。マリンは、レインボーファミリーの出身ということになります。

マリンは高校卒業後、すぐには大学へ進学しませんでした。自分が何をやりたいのか見つかっていなかったのです。しばらくアルバイトで店のレジ係をしたり、失業手当をもらったりして生活していたそうです。そのうち、自身の経験から公共のために行う仕事に興味を持ち、大学で行政学を学ぶことにします。

写真①—**サンナ・マリン(1985年〜)** | 写真提供:フィンランド政府

第46代フィンランド首相。ヘルシンキ生まれ。幼い頃に両親が離婚、その後、母と同性のパートナーのもとで育つ。2015年、国会議員に初当選。2017年、社会民主党副議長、2019年6月、運輸大臣に就任。同年12月、リンネ首相の辞任にともなう党内選挙で党首に選出され、首相に就任した。フィンランドで3人めの女性首相であり、フィンランド史上最年少、世界最年少(当時34歳)の首相として話題になる。2023年4月の議会選で社会民主党が敗北し、退陣。

フィンランドの教育については、3章で詳しく説明しますが、幼稚園から大学院まで学費無料なので、家庭が貧しくてもしっかり教育を受けられます。また、児童手当や低所得者向けの支援も充実しています。大学の入学試験はありますが、高校で学んだ知識を試すものではなく、これから学ぶ専門分野の基礎を問うもので、試験のための塾は存在しません。塾に行ける、行けないという経済格差で進学先が決まってしまう、などということはないのです。

マリンの家庭は経済的に困窮していましたが、大学に進学することができました。マリンは次第に政治への関心を深め、大学で学びながら社会民主党の青少年部に所属し、政治活動を開始します。そのため、マリンは大学を卒業するまで10年以上かかりました。

27歳で地元の市議会議員に当選。すぐに頭角を現して市議会議長になると、29歳で社会民主党の副議長に、その翌年に国会議員に初当選します。行政学の勉強は継続し、国会議員になってから修士号を取得しました。フィンランドでは、将来何になりたいかを考えてから大学へ進学する人も多く、卒業までにかかる年数も人それぞれで、マリンが特別なわけではありません。

２０１９年に運輸通信大臣になると、同年、第一党になった社会民主党の首相候補戦で勝利し、首相に就任します。日本をはじめ、海外メディアは若い女性首相の誕生を驚きましたが、フィンランドの人たちは冷静でした。というのも、30代の首相は1990年代にも出ているし、女性首相も史上3人めだからです。

マリン首相の新政権発足時の写真を見てください（P44写真②上）。首相と主要閣僚が全員女性です。マリン内閣は5党連立政権で党首は5人とも女性、しかも、マリン首相を含む4人は当時35歳以下だったのです。日本の閣僚集合写真（P44写真②下）を見ると、女性閣僚はふたりだけです。前に「ジェンダーギャップ指数」の話をしましたが、日本は特に政治参画、経済参画の分野での順位が低いのです。

――若い人が首相や閣僚になることを、フィンランドの人たちはどう受け止めているのでしょうか。実力があれば当然と思っているのか、年配の人たちは反発しないのか……。

フィンランドの大学院に留学し、フィンランド大使館の広報の仕事に携わる堀内《ほりうち》都喜子《ときこ》氏は、著書『フィンランド 幸せのメソッド』（集英社新書）の中で「フィンランドでは年功序列はそれほど重視されていない。むしろ、フットワークが軽く、柔軟で新しいことに敏感な若い人たちに仕事をどんどん任せて、年長者はそれを支える側に立つ文化がある。」と語っています。国のトップに立つ首相の座も、優秀でやる気のある若者なら任せてみようという人が多く、年長者からの抵抗は少ないのでしょう。

日本では最近、「親ガチャ」という言葉が使われるようになりました。どんな親のもと

写真②—**フィンランドと日本の閣僚**

フィンランドでサンナ・マリン政権が発足した時の主要閣僚たち。左からリー・アンダーソン教育相、カトリ・クルムニ財務相、サンナ・マリン首相、アンナ・マヤ・ヘンリクソン法務相、マリア・オヒサロ内相。全19閣僚のうち12人が女性だった（2019年12月19日撮影）｜写真提供：フィンランド政府

日本の第二次岸田改造内閣の全閣僚。女性は高市早苗経済安全保障担当相（最前列右から2人め）と永岡桂子文部科学相（3列め中央）のふたりのみ（2022年8月10日撮影）｜写真提供：首相官邸

に生まれてくるか、その家庭環境によって人生が大きく左右されてしまうことを意味しますね。貧困家庭に生まれたマリンは、親ガチャの「当たり組」とはいえないでしょう。

それでも、幼稚園から大学院まで無料で行ける教育制度と、子育てや貧困家庭への手厚い福祉支援があったからこそ、マリンは首相になる夢をかなえられた。もちろん本人の努力は必要ですが、フィンランドという国の仕組みが、サンナ・マリン首相を生み出したのだなとつくづく思うのです。

厳寒で人口が少ない国を維持するには

フィンランドのみならず、北欧5か国すべてで女性首相が誕生しています。どうして北欧諸国で、ジェンダー平等や社会福祉の充実が進んだのでしょうか。授業の最初に北欧の印象を聞いた時、真っ先に「とても寒い」という声が上がったよね。これは北欧を理解するうえで、実はとても大事なことです。

冬にマイナス10度とか20度になるのが当たり前という地域では、うっかりしていると本当に凍死してしまう危険があるわけでしょう。物流が発達した現代と違って、昔は食料を確保するのも大変だったでしょう。短い夏の間、一生懸命働かないと生きていけない。北欧の人々は、そういう厳しい環境の中で、それこそ死に物狂いで生存して、命を繋いできたわけです。

そして、各国の人口（P89、127、146、161、183）を見てください。いちばん人口の多いスウェーデンで約1000万人、デンマーク、ノルウェー、フィンランドはそれぞれ500万人台、アイスランドは約36万人しかいない。どの国も想像以上に少ないでしょう。北欧全体でも3000万人を割るんです。日本は約1億2500万人だから、北欧全体で日本のおよそ4分の1の人口しかないんですね。

そうなると、一人ひとりが貴重な存在で、人こそ国の資源です。男だから女だからなんて言っていられない。限られた人数で助け合い、一緒になって働いて、国を維持していかなければならない。そういう危機意識が強いわけです。そればかりが理由ではありませんが、結果的に、北欧地域で高福祉・ジェンダー平等が進むことになったと思うのです。

もちろん、最初からみんなが平等だったわけではありません。北欧でもやっぱり差別があって、女性の権利が十分保障されていなかった。だけど、先に述べた危機意識もあって、意図的に国会議員や会社役員の比率を調整し、ジェンダー平等を図っていった。そういう取り組みを重ねて、現在の北欧が成り立っているわけですね。

――北欧には徴兵制のある国がありますが、男女平等だから女性も徴兵されるのですか？

現在、北欧諸国で徴兵制があるのは、スウェーデン、ノルウェー、デンマーク、フィンランドの4か国です。そのうち、女性も徴兵の対象としているのはスウェーデンとノルウェーです。アイスランドは、非武装の国で軍隊を持っていません（国防の役割を一部担う沿岸警備隊がある）。

スウェーデンは２０１０年に徴兵制を廃止して志願兵制に切り替えていましたが、ロシアがウクライナのクリミアを併合したのに警戒感を強め、２０１７年に徴兵制を復活させると発表しました。その際、初めて女性にも徴兵制が適用されたのです。18歳の男女の国民は全員連絡を受け、兵役の知識などを問う質問票への回答を求められます。回答内容に基づいて選抜され、初年の２０１８年は４０００人に11か月の兵役が課されたそうです。スウェーデンの国防軍は、２０２５年には徴兵の数を８０００人に増員し、２０２０年時点で17％強だった女性の徴兵率を30％にすることを示唆しています。

ノルウェーでは、２０１５年から女性にも徴兵制が適用されるようになりました。兵役は18〜44歳の男女が対象で、期間は約1年です。デンマークとフィンランドの場合、女性は志願兵制です。

――スウェーデンやノルウェーで女性の徴兵制が始まったのは最近ですね。男女平等だけが理由ではなく、女性も徴兵しないと人数的に成り立たないからですか？

確かに、人口減少している先進国では、軍隊も人材不足に悩んでいます。女性も徴兵制の対象にしよう、あるいは女性にも志願してもらおうという背景に、少子化で全体の人数が少ないという事情があるかもしれません。しかし、それだけではなく、軍隊のハイテク化・任務の多様化が女性参加を促しているという指摘もあります。

現在の軍隊では、体力よりもハイテク機器を使いこなせる能力のほうが必要とされる場合が多く、男女差は以前より問われなくなりました。また、ＰＫＯ（国連平和維持活動）など紛争地帯での救助やケアの任務につく機会も多く、男女を通じて持ち場の多様性が見られるようになってきているのです。

――ロシアのウクライナ侵攻による影響はあるのですか？

ロシアと直接国境を接しているフィンランドでは、危機意識が高まり、女性でも軍隊に志願する人が増えているそうです。また、侵攻が始まった頃、銃の使い方や応急処置の仕方などを教える軍事訓練の参加希望者が多く、順番待ちになるほどだったといいます。なにしろソ連に攻められたことがあるわけですから、危機感が違います。学校で学ぶ世界史に、北欧諸国はあまり登場しませんね。この地域でどんな歴史があったのか、ロシアによるウクライナ侵攻と北欧がどう関係するのか、次の章で見ていきましょう。

第2章

NATOと北欧・ロシア

ロシア戦車のZマークはなんのためか

ロシアのウクライナ侵攻から3か月後の2022年5月に、スウェーデンとフィンランドがNATO（北大西洋条約機構）への加盟を申請しました。NATOが設立されてから70年以上たちますが、スウェーデンとフィンランドはずっと加盟せず、軍事的中立を維持してきました。両国が長らく守ってきた中立の立場を捨てて急旋回の決断をしたのはなぜか？　背景には北欧とロシア（ソ連）の歴史的関係があります。また、NATOがソ連崩壊後に変質したことも見逃せません。

ロシアがウクライナとの国境付近に軍隊を配備した時、欧米の首脳はロシア軍の撤退を求め、ロシアはNATOの拡大停止とウクライナのNATO加盟拒否の確約を迫りました。プーチン大統領はNATOの何を恐れているのか？　スウェーデンとフィンランドはなぜNATOに頼ったのか？　まず旧ソ連の頃からのロシアとNATOの関係を振り返ってみましょう。

ロシアのウクライナ侵攻が現実味を帯びてきた頃、「ロシアがウクライナに本当に攻めてくるのですか？」とよく質問されました。もし、ロシアがウクライナを攻める場合、ロシア軍とウクライナ軍の戦車は、見分けがつきません。どちらも旧ソ連時代のものだからです。両国は同じソ連軍の仲間だったでしょう。ロシアがウクライナに侵攻するなら、味方への誤爆を避けるために、ひと目で見分けがつくような印をつけるはずです。

そこで私は、「戦車に何か白い目印をつけたら、ウクライナに攻め込みますよ」と言っていました。そうしたら、「Z」のマークをつけてウクライナに侵攻しましたね（P52写真③上）。Zの意味について、識者やジャーナリストがさまざまな分析をしていますが、敵か味方か見分けることが重要だったのです。

実は、同じようなケースが過去にありました。1968年、東西冷戦の中で東側の共産圏に組み込まれた東欧のチェコスロバキア（現在はチェコとスロバキアに分離）で、「プラハの春」といわれる民主化運動が起きました。同国は、第二次世界大戦でナチス・ドイツに侵略されたのをソ連によって解放されたため、社会主義国家の仲間になっていました。しかし、以前は、議会制民主主義を維持していた国です。次第に、共産党政権による言論弾圧と経済停滞に不満が高まり、改革派のアレクサンデル・ドゥプチェクが共産党第一書記になると、言論の自由や市場経済の導入などを打ち出しました。

ソ連は、ほかの東欧諸国に民主化運動が波及するのを恐れ、ソ連軍を主体とするワルシャワ条約機構5か国の軍隊でチェコスロバキアへ侵攻し、改革を潰してしまいました。

写真③—**ロシア（ソ連）製戦車の目印**

2022年のウクライナ侵攻時にロシア軍の戦車には白い「Z」の印が付けられた｜写真提供：SPUTNIK/時事通信フォト

1968年の「プラハの春」の際、ワルシャワ条約機構軍はソ連製戦車の車体に白いラインを入れて、敵味方がわかるようにした｜写真提供：Bridgeman Images / PPS通信社

その時、5か国の軍隊はソ連製の戦車を連ねて首都プラハにやってきました。しかし、チェコスロバキア軍がもし抵抗したら、彼らの戦車も同じソ連製だから敵味方がわからなくなります。そこで同士討ちしないように車両に大きな白い印をつけました。写真を見てください（右ページ写真③下）。戦車に白い線が入っているでしょう。この時と同じように、ロシアは戦車に白い目印をつけてウクライナに侵攻したのです。では、質問です。

Q「ワルシャワ条約機構」とはどんな組織ですか？

――ソ連を中心とした東ヨーロッパの社会主義国グループがつくった軍事同盟です。

はい、そうですね。1955年、ソ連、アルバニア、ブルガリア、ルーマニア、東ドイツ、ポーランド、ハンガリー、チェコスロバキアの8か国で、共同防衛を定めた東ヨーロッパ相互援助条約が結ばれました。この条約はポーランドのワルシャワで調印されたので、ワルシャワ条約機構といいますが、本部はモスクワにあり、ソ連軍が指揮権を握っていました。

チェコスロバキアで民主化運動が起きた時、鎮圧したワルシャワ条約機構軍はソ連を主力とする5か国でした。ということは、加わらなかった国があるのです。ソ連以外で軍を派遣したのは、東ドイツ、ポーランド、ハンガリー、ブルガリアです。ルーマニアとアルバニアは、ソ連の要請を拒否して派兵しませんでした。

ルーマニアは、１９５０年代から60年代初頭にかけて、ゲオルギウ・デジという労働党書記長や首相を歴任した国家指導者が出て、巧みな外交を展開しました。ソ連に従いながら、アメリカやフランスに経済使節を派遣して西側とのパイプを保持。また、中国の毛沢《もうたく》東《とう》とソ連のニキータ・フルシチョフの路線対立から「中ソ対立」が深まった際には、中立の立場を保ちます。その独自の外交術は「３台のピアノを同時に弾く」といわれました。

デジが１９６５年に死去したあと、権力を継承したのがニコラエ・チャウシェスクです。チャウシェスクはデジの自主外交を引き継ぎ、１９６７年に西ドイツと国交を樹立して世界を驚かせます。翌年の「プラハの春」の際には、ソ連に要請されても軍隊を派遣しませんでした。その後、チャウシェスクは24年に及ぶ長期政権の中で独裁色を強め、１９８９年、東欧民主化の中で反乱を起こした軍隊によって処刑されました。日本でも大きなニュースになったので、デジよりチャウシェスクのほうが有名ですね。

もう1国、派兵を拒否したアルバニアは、フルシチョフの「スターリン批判」（１９５６年）に反対してソ連と対立し、断交。中国との関係を強化します。「プラハの春」では、チェコスロバキアへの軍事介入を批判して、ワルシャワ条約機構を脱退しました。

——**ワルシャワ条約機構の加盟国は、連帯できていなかったようですね。**

はい、そうですね。「プラハの春」の民主化運動以前に、ハンガリーでもソ連の支配から抜け出そうと民衆が蜂起したことがあります。「ハンガリー動乱」（ハンガリー事件、ハンガリー革命とも／１９５６年）と呼ばれていますが、その時はソ連が直接軍隊を派遣して制圧し、親ソ派の政権に戻してしまいました。東ヨーロッパの国々は、ソ連の言うことを聞くしかない状態でしたが、ソ連の支配から逃れたいという気持ちを常に持っていました（東欧諸国については、『池上彰の世界の見方 東欧・旧ソ連の国々』で詳しく解説しています）。

東西両陣営の恐怖心から生まれた軍事同盟

Q そもそも、ワルシャワ条約機構はなぜできたのでしょう？

――西側諸国が、先にＮＡＴＯをつくっていたので、対抗するため。

正解です。さあ、ここでスウェーデンとフィンランドの加盟申請で注目が集まった北大西洋条約機構、通称ＮＡＴＯ（North Atlantic Treaty Organization）が出てきました。ＮＡＴＯが創設されたのは１９４９年。まさに、東西冷戦の始まった頃だよね。私が生まれる１年前のことで、私は東西冷戦の時代に子どもから大人に成長した世代です。だから、東西冷戦のことはよく知っています。

しかし、東西冷戦が終わって30年以上たちました。君たちのような若い世代はよく知らないかもしれません。でも、今の世界情勢で「どうしてそんなことになったの？」と思うことを歴史的にたどっていくと、東西冷戦に行き当たる場合が多いのです。基本的なおさらいをしておきましょう。

Q「東西冷戦」がどういうものか、誰か説明してくれますか？

――**アメリカと西ヨーロッパ諸国、日本などの資本主義グループと、ソ連や東ヨーロッパ諸国、中国など社会主義グループの対立のことです。**

そのとおりですね、「冷戦」というのはなぜ？

――**実際に戦争はしなかったから。**

はい、世界が二分されて、政治、経済、外交などあらゆる面で激しい対立が続きましたが、直接武力を用いて戦うことはなかったので、「冷戦」や「冷たい戦争」と呼ばれました。

余談ですが、日本が中心の地図で見ると、アメリカが東、ソ連が西になってしまうよね。ヨーロッパ中心の地図だとアメリカが西、ソ連が東になります。私は小学生の頃、世界地図を見ると日本は世界の真ん中にあるのに、なぜ「極東（Far East）」といわれるのか不思議に思っていました。これも、ヨーロッパ中心の地図だと東の端にあるからですね。

現代世界はヨーロッパを中心としたものの見方になっている場合が多いのです。イギリスは18世紀後半に世界で最初に産業革命に成功し、世界一の経済大国になりました。第一次世界大戦（1914～18年）頃まで世界の覇権を握っていたので、世界はイギリス中心の見方で捉えられてきたのです。東西冷戦もヨーロッパを中心とした区分というわけですね。

本題に戻りましょう。アメリカグループとソ連グループが対立する前、第二次世界大戦では、ソ連とアメリカは連合国の一員としてドイツや日本と戦っていました。だから、その時には同盟国の仲間だったわけだよね。でも、国民に自由を保障して競争させる資本主義と、平等に価値を置いて国民を管理する社会主義は、国家の方向性がまったく逆です。戦争が終わると対立するようになり、世界で陣取り合戦を始めました。

ソ連は東ヨーロッパをドイツから解放したあと、その東ヨーロッパの国々を、次々にソ連の言うことを聞く国にしてしまいます。というのも、第二次世界大戦中にドイツに攻められて、ソ連は莫大な犠牲者を出したからです。それがトラウマのひとつとなり、資本主義国との間に緩衝地帯を設け、直接侵略を受けずにすむようにしようと考えたのです。緩衝地帯にされたのが東ヨーロッパの国々です。

一方、西ヨーロッパの国々は、この勢いだと、やがて自分たちもソ連の侵略を受けて、ソ連グループの一員にされてしまうんじゃないかと不安が募ります。

これは日本にいるとわかりにくいのですが、たとえば、ヨーロッパのフランスとかドイツとかの大平原を車や鉄道で移動すると、見渡すかぎり、なだらかな丘陵地帯が続きます。すると、あの丘の向こうからソ連の戦車が攻めてきたらどうしよう、という恐怖心が自然と湧いてくるのです。戦車は大平原で威力を発揮する兵器です。日本のように、島国で山が多く平地が少ないと、戦車に対する恐怖がぴんときませんが、西ヨーロッパの国々にとって戦車は脅威なのです。

そして、ヨーロッパの国は、一つひとつの国が意外と小さいわけだよね。人口で見ると、今でも西側諸国ではドイツの約８３００万人が最大で、数百万人というところが多く、数十万人しかいない国もあります。それぞれの国で戦っても、ひとたまりもなくやられてしまう。じゃあ、ヨーロッパの西側諸国がみんなで集まってなんとかソ連の脅威に対抗しようじゃないか。自分たちだけじゃ無理だから、海の向こうのイギリスやアメリカ、カナダにも仲間に入ってもらおう。そう考えて西側諸国が集まり、自分たちの安全を守ろうとします。

それがＮＡＴＯなんだよね、北大西洋条約機構。ＮＡＴＯ加盟国の地図を見てください

（P60図表⑥）。ヨーロッパの西側の大陸諸国だけでなく、イギリス、アメリカ、カナダまで引き入れて設立された軍事同盟です。加盟国のどこか一国が武力攻撃を受けた場合は、全加盟国に対する攻撃とみなして集団的自衛権を行使することを定めています。

当初はイギリス、フランス、ベルギー、オランダ、ルクセンブルク、イタリア、ポルトガル、ノルウェー、デンマーク、アイスランド、アメリカ、カナダの12か国でスタートしました。本部はベルギーのブリュッセルにあります。

――北欧のノルウェー、デンマーク、アイスランドの3か国は、最初から加盟していたのですね。

そうなんです。なぜスウェーデンとフィンランドが加盟しなかったのかは、あとで説明するので、もう少し待っていてください。

――NATOが結成されてからワルシャワ条約機構ができるまで6年かかっています。すぐに対抗してできたのかと思っていました。

ワルシャワ条約機構は、西側諸国のNATOに対抗して結成されたものですが、直接のきっかけになったのは、1954年にアメリカ・イギリス・フランスが西ドイツの主権回復と再軍備、そしてNATO加盟を承認したことです。第二次世界大戦で敗北したドイツは東西に分断され、西ドイツは西側諸国の一員として復興に取り組んでいました。ソ連は

図表⑥—**NATO(北大西洋条約機構)とは** | 出典:外務省HP

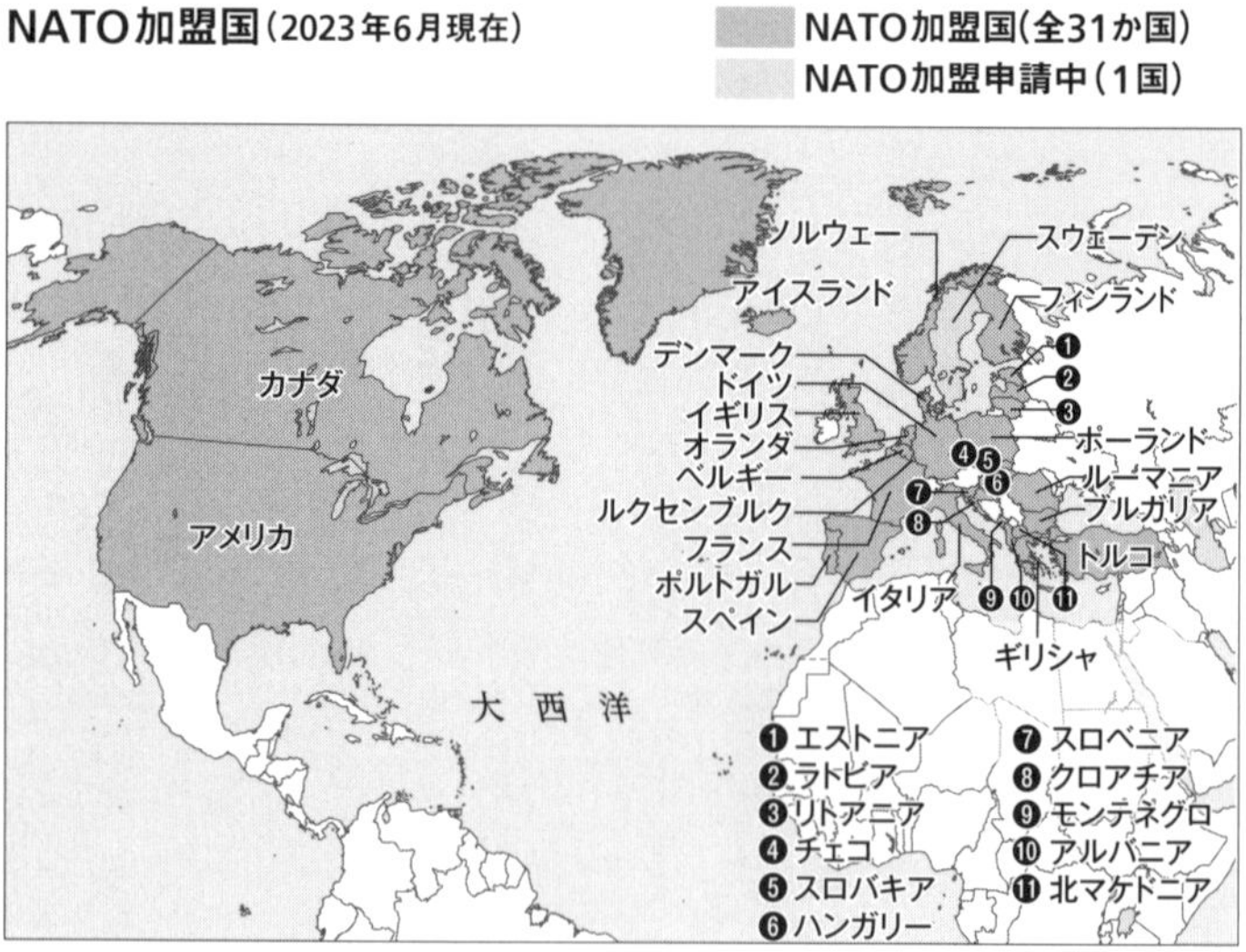

設立年	1949年(原加盟国12か国)
本部	ブリュッセル(ベルギー)
目的	① 国連憲章の目的および諸原則への信頼と平和裏に生きることへの希望を再確認 ② 自由、共通の生得権および人民の文明を擁護 ③ 北大西洋地域の安定と福祉の促進を追求 ④ 集団的防衛並びに平和および安定の維持のための努力の統合を決意
条約の概要	・締約国は、領土保全、政治的独立または安全が脅かされていると認めたときは、いつでも協議する。 ・欧州又は北米における1または2以上の締約国に対する武力攻撃を全締約国に対する攻撃とみなす。締約国は、武力攻撃が行われたときは、国連憲章の認める個別的または集団的自衛権を行使して、北大西洋地域の安全を回復しおよび維持するために必要と認める行動(兵力の使用を含む)を個別的におよび共同して直ちにとることにより、攻撃を受けた締約国を援助する。 ・締約国は、全会一致の合意により、本条約の諸原則を促進し北大西洋地域の安全保障に貢献することができる他のいかなる欧州の国を本条約に加入するよう招請することができる。招請されたいかなる国も米国政府に加入書を寄託することにより本条約の締約国になることができる。米国政府は各締約国に当該加入書の寄託を通報する。

強く反発し、西ドイツのNATO加盟から9日後に、ワルシャワ条約機構を結成しました。こうしてNATOとワルシャワ条約機構がにらみ合う東西冷戦が、35年以上続いたのです。

冷戦が終わってもNATOは残った

東西冷戦は、ソ連のミハイル・ゴルバチョフの登場によって、あっけなく終わりを迎えます。1985年にゴルバチョフが共産党書記長に就任した頃、ソ連の経済は停滞し、軍事競争でアメリカに追いつくことは不可能になっていました。そこで、ゴルバチョフは「新思考外交」と呼ばれる改革を行います。対米協調に転じて、核軍縮を進め、海外への軍事介入を縮小・停止して、軍備拡張を中止しました。内政立て直しに専念するために、西側諸国との緊張関係を解消し、軍事費の負担を減らそうとしたのです。

ゴルバチョフは、ソ連の社会主義体制を維持しながら、時代に合った先進的な国にしたいと考えていました。その試みは、結局うまくいかなかったのですが……。それでも、当時のゴルバチョフは理想に燃えて、次々と改革を断行します。その影響はソ連の支配下にあった東欧諸国にも及びました。ゴルバチョフは「東ヨーロッパの国々の内政に干渉しない」という方針を打ち出したのです。ソ連のくびきからなんとか逃れたいと思っていた東欧諸国で、一気に民主化が進みました。

1989年11月、東西ドイツを隔てていたベルリンの壁が崩壊します。その翌月には、ソ連のゴルバチョフ書記長とアメリカのジョージ・ブッシュ（父）大統領が地中海のマルタで会談し、「冷戦終結」を宣言しました。

この時、「これで世界は平和になる」と世界中の人々が思いました。翌年にドイツが統一を果たし、東ドイツが消滅。さらに、1991年にソ連が解体します。旧ソ連邦を構成していた諸国が独立して15の共和国が誕生しました。そして、冷戦終結で意味を失ったワルシャワ条約機構も、同じ年に消滅したのです。

当時のロシアにしてみれば、ワルシャワ条約機構がなくなったんだからNATOもなくなるだろうと期待していました。ところが、NATOはなくならなかったのです。NATOはどうなったのかというと、「ヨーロッパ全体の安全に責任を持つ」というふうに考え方を変えて存続するんです。

Q NATOが考え方を変えたきっかけになった出来事はなんでしょう？

——？？

ちょっと難しいかな。では、2022年のサッカーワールドカップで日本に勝った国も入っていた連邦国家といえば？

――日本が負けたのはクロアチアだから、ユーゴスラビアですか。

はい、そうです。ＮＡＴＯが変わるきっかけとなったのは、ユーゴスラビアで始まった内戦です。現在のセルビア、クロアチア、スロベニア、ボスニア・ヘルツェゴビナ、モンテネグロ、北マケドニア、コソボは、かつて「ユーゴスラビア社会主義連邦共和国」というひとつの国でした。

ユーゴスラビアは社会主義の国でしたが、ソ連の言うことを聞かずに独自の社会主義体制を維持しました。なぜかというと、東ヨーロッパの国々はみんなドイツに支配されたあとソ連軍によって解放されましたが、ユーゴスラビアはソ連の助けを借りずに、自分たちでドイツを追い払ったからです。

ユーゴスラビアには、ヨシップ・ブロズ・チトー（１８９２〜１９８０年）というカリスマ的な共産党指導者がいて、自分たちでパルチザン闘争を行ってナチス・ドイツに勝利しました。パルチザンとは、外国の侵略などにゲリラ活動で抵抗する労働者・農民などの非正規部隊、またはその隊員のことです。

冷戦中、ユーゴスラビアは西側諸国から攻められるかもしれないし、ソ連の言うことを聞かないから、ソ連から攻められるかもしれないという状態でした。そこでチトーは「全人民武装」を断行します。男性に軍事訓練を受けさせ、すべての家庭に銃を配りました。どこかの国から攻撃されたら、国民みんなが銃を持って戦える国にしたのです。

ところが、東西冷戦が終息し、東ヨーロッパ諸国で民主化の改革が進みます。カリスマ指導者だったチトーはすでに死んでいました。もともとユーゴスラビアは、いろんな民族や宗教が一緒になってできた国でした。多民族国家が分裂せずにまとまっていたのは、チトーのカリスマ性と少数民族に配慮した政策によるものでした。あとを継いだ指導者たちにはその力がなく、民族主義や宗教が吹き返し、各共和国の独立をめぐって紛争が次々と発生しました。それが「ユーゴスラビア紛争」（１９９１～２００１年）と呼ばれている内戦です。「全人民武装」で市民が武器を扱えたため、紛争を激化させてしまいました。

ＮＡＴＯに加盟している国々は、同じヨーロッパの中でこんな内戦を放置してはいけない、なんとかこれを抑えなければいけないと考え、ＮＡＴＯ軍がセルビア人部隊やセルビア本国を爆撃するんですね。なぜ、セルビアを爆撃したのか？

ユーゴスラビアで起きた紛争の中で、もっとも悲惨だったのが「ボスニア内戦」（１９９２～９５年）です。カトリックのクロアチア人とイスラム教徒のボシュニャク人（イスラム教に改宗した南スラブ人）がボスニア・ヘルツェゴビナの独立に賛成し、東方正教会派のセルビア人はこれに反対して対立します。この時、ボスニア・ヘルツェゴビナにいるセルビア人たちをセルビア本国が応援するんだよね。その結果、ボスニア・ヘルツェゴビナでセルビアの民兵が強い力を持って、イスラム教徒に対し「民族浄化」といわれる集団虐殺を行ったんです。

ＮＡＴＯの国々は、ボスニア・ヘルツェゴビナの人たちを助けなければいけない、セルビアをなんとか抑えなければいけないと言って、ＮＡＴＯ軍がボスニア・ヘルツェゴビナのセルビア人部隊に対して爆撃しました。ＮＡＴＯの空爆を受けて、セルビア本国はボスニア・ヘルツェゴビナのセルビア人の支援をやめるんですね。これによって、ボスニア・ヘルツェゴビナの内戦が終わったのです。

現在のボスニア・ヘルツェゴビナは、クロアチア人とボシュニャク人の「ボスニア・ヘルツェゴビナ連邦」と、セルビア人の「スルプスカ共和国」で構成されるひとつの国家になっています。それぞれが独自の大統領、政府を持っていて、高度に分権化されています。3民族を代表する3名の大統領評議会メンバーが交替制で評議会の議長を務める、というかたちをとっています。要するに、セルビア人とそれ以外の人たちが交流できないように完全に半分に分かれた状態になっています。

民族融和は望めそうもありませんが、結果的に、ＮＡＴＯがセルビアを攻撃したことによって、ヨーロッパの安全が保たれたわけです。これからもヨーロッパの安全を守るためにはNATO軍が必要だ、ということになりました。そして、NATOの目的は「ソ連と東側諸国への対抗」から「ヨーロッパの平和維持」に変化したのです。

NATOの東方拡大とプーチンの怒り

私はセルビアに行った時、首都ベオグラードでNATO軍の空爆を受けた旧ユーゴスラビア国防省の建物を見ました。1999年春、コソボの独立をめぐる紛争（コソボ紛争）の際、NATO軍が介入して攻撃したのです。破壊された建物を、広島の原爆ドームみたいにそのまま残してあるんですね（左ページ写真④）。NATO軍の攻撃によって我々はこんなひどい目に遭ったのだということをみんなにわからせるために、残しているわけだよね。

実は、クロアチア人もセルビア人も、民族的には南スラブ人です。ボシュニャク人はオスマン帝国がバルカン半島を支配した時代にイスラム教に改宗した南スラブ人たちの末裔《まつえい》です。つまり、3民族は、もともと同じ南スラブ系なのです。そもそも、「ユーゴスラビア」という国名は「南スラブ人の国」という意味です。セルビア人は東方正教会の一派であるセルビア正教を信じていますが、クロアチアはフランク王国（フランス・ドイツ・イタリアの起源）に接していたので、その影響を受けてカトリックになりました。

NATOがセルビアを攻撃した時、ロシアは強く反発しました。セルビア人は同じスラブ民族（ロシアは東スラブ系）で、ロシアと同じく東方正教を信じています。そして、セルビア語というのはロシアと同じキリル文字を使っている。ロシアにとってセルビアは、兄弟・親戚みたいに親近感のある存在なのです。

ロシアは、NATOが民主主義を守るという口実のもとに自分たちを攻めてくるかもしれないという危機意識、恐怖心を持ちます。ワルシャワ条約機構はなくなったのにNATOは存続をし、しかも東ヨーロッパの国々が次々とNATOに加わっていきました。1999年にチェコ、ハンガリー、ポーランド、2004年にはルーマニア、スロバキア、ス

写真④—旧ユーゴスラビア国防省の建物。爆撃された状態のまま、負の遺産として残されている｜写真提供：AGE / PPS通信社

ロベニアなどが加盟しています。ウクライナも加盟を求め、NATOは2008年にウクライナとジョージアの将来的な加盟を認めます。東ヨーロッパの国々にしてみれば、ロシアから逃れるために西に助けを求めたのですが、ロシアのプーチン大統領からすると、NATOが東にどんどん勢力を広げてきたという受け止め方をするわけですね。

プーチン大統領の気持ちを推し量ると、「東ヨーロッパの国々がNATOに入るのは仕方ないだろう。これはあきらめる。しかし、もともとソ連を構成する仲間だったものがNATOに入るのは許しがたい」ということでしょう。つまり、ウクライナとか、ジョージア（日本の旧呼称グルジア）とかがNATOに入るのは許しがたいと思うわけです。

当時の歴史をよく知っている人だと、じゃあ「バルト三国」はどうなんですかというツッコミが入るかも……、君たちから入らないね（笑）。バルト三国というのはどこですか？

――**エストニア、ラトビア、リトアニアの3国のことです。**

そのとおりです。3国は旧ソ連の国でしたが、2004年にNATOに加盟しました。この3国に対してなぜロシアが文句を言わないかというと、バルト三国は、ソ連が消滅する直前に独立が認められているからです。ゴルバチョフの改革に伴い、3国は協力し合って独立回復運動を進め、ソ連末期に独立を認めさせたんです。そのあとすぐにソ連が崩壊したんだよね。だから、プーチン大統領はバルト三国に対して「けしからん」と思っているかもしれないけど、それは言わない。だけど、ソ連が解体したあとに独立した国がNATOに入るのは絶対許せないという思いを持っているのでしょう。

ここで「緩衝地帯」という概念に注目してみましょう。ロシアって、ものすごく広大な国でしょう。あれだけ長い国境線を守るのは大変なことです。どこから攻められるかわからないという恐怖心を絶えず持っているのです。事実、ナポレオンにモスクワまで攻め込まれてしまったでしょう。そして、第二次世界大戦の時にはドイツが攻め込んできたよね。ドイツに攻められたことによって、ソ連は約2700万人が大戦の犠牲になっています。だから、東ヨーロッパ諸国を西側との間の緩衝地帯にしたわけですね。

アジア方面に目を向ければ、中国との間にはモンゴルというソ連の言うことを聞く国を緩衝地帯にしました。そして、朝鮮半島においては、北朝鮮という国をつくることによって、韓国との間の緩衝地帯にしたわけだよね。

もともと北朝鮮という国は、ソ連がつくった国といえるでしょう。1945年8月、日本が敗れると、朝鮮半島の北部をソ連が占領しました。そして、ソ連軍で朝鮮人部隊を率いていた金成柱《キムソンジュ》という人物を金日成《キムイルソン》と名乗らせてトップに据えたのです。キムイルソンというのは、抗日の英雄伝説に出てくる将軍の名前です。日本が朝鮮半島を占領していた時代に、日本軍と勇敢に戦い続けるキムイルソンという将軍がいる、という話が朝鮮半島で広まっていたのです。どんな字を書くのかもわかりません。ソ連はそれを利用して金日成を仕立て上げたのです。ソ連の傀儡《かいらい》のつもりでつくった国が、あれよあれよという間に言うことを聞かない国になっちゃったわけですが。

では、今なぜロシアが北朝鮮を支援しているかというと、もし北朝鮮が崩壊したら、ロシアがアメリカ軍の駐留する韓国軍と国境を接することになってしまうからです。ロシアにとっては悪夢です。だから、緩衝地帯となる北朝鮮を渋々支援しているのです。

日本と関係のある話でいえば、ロシアが2022年9月に、北方領土の択捉島《えとろふ》と国後島《くなしり》で軍事演習を行ったでしょう。ロシアが今度は日本に攻めてくるんじゃないかと心配する人もいましたが、あれは逆なんです。どういうことか？　実は極東と東シベリア地方を管轄するロシアの東部軍管区の兵隊たちがウクライナを攻撃するために動員されたんです。その結果、サハリンや北方領土の守りがものすごく手薄になりました。日本が攻めてきて北方領土を取り戻されたら大変だというふうに、ロシアは恐れているのです。

ロシアの軍事演習は、日本に対し「ちゃんと守っているぞ」と示すためのものだったのです。私たちは、日本が攻めていくはずないだろうと思うでしょう。ロシアって本当に独特の、よその国から攻められたら大変だという意識があるんです。

――ワルシャワ条約機構は消滅しましたが、ロシアは、旧ソ連のいくつかの国と集団安全保障

条約機構（CSTO）をつくりましたよね。『池上彰の世界の見方　東欧・旧ソ連の国々』で読みました。あれはNATOに対抗するためのものではないのですか？

ロシアが主導し、ベラルーシ、アルメニア、カザフスタン、キルギス、タジキスタンの5か国が加盟している軍事同盟のことだね。ワルシャワ条約機構と比べるととても規模が小さいでしょう。有名無実の同盟だとか揶揄《やゆ》されてきましたが、2022年5月にプーチン大統領がモスクワにCSTOの首脳を招集して、注目されましたね。

プーチン大統領がウクライナ侵攻の説明をして、反NATOでの結束をアピールしたかったようですが、ベラルーシを除いて加盟国は協力に消極的で、ロシアに同調する意見も出なかったといいます。現状では、NATOに対抗しうるような組織ではありません。

スウェーデンとフィンランドに共通する敗戦の記憶

では、いよいよ北欧の話に移りましょう。デンマーク、ノルウェー、アイスランドはNATOが創設された時からのメンバーです。しかし、スウェーデンとフィンランドはずっと加盟せずにきました。それはなぜだと思いますか？

――スウェーデンとフィンランドは、東側にも西側にも属さない「中立政策」をとっていたか

らです。

そうですね、じゃあ、なぜ中立政策をとるようになったかわかりますか？

——**フィンランドは第二次世界大戦でソ連と戦って負けているので、ソ連を刺激したくなかったのだと思います。**

なるほど。フィンランドが第二次世界大戦でソ連と戦っていたことをよく知っていたね。予習の成果が出ていますよ（笑）。中立という姿勢はロシアに対する配慮だというわけですね。では、スウェーデンが中立政策をとっていたのは、なぜでしょう？

——**？？？**

スウェーデンはヨーロッパの大国だったのですが、北方戦争（１７００〜２１年）でピョートル大帝（１世）率いるロシアに負けて、大国から転落するきっかけになりました。さらに19世紀初頭に、ナポレオンの征服戦争の中で再びロシアと戦い、大敗してしまったんだよね。その結果、スウェーデンの領土だったフィンランドをロシアに奪われてしまいます。そうした経緯もあって、中立政策をとるようになったんです。

それ以来、２０２２年にＮＡＴＯに加盟申請するまで約２００年近く、スウェーデンは大きな戦争には参加していません。第一次、第二次世界大戦のいずれも、スウェーデンは戦争に加わっていません。

つまり、スウェーデンとフィンランドは、ロシア（ソ連）と直接戦って負けたことがある、という共通点があるわけです。特にフィンランドは第二次世界大戦で戦ったから、NATOができた時には、敗戦の記憶が生々しいものだったでしょう。

――前の章で、北欧の国々が寒くて生活するのが大変だと聞きました。ロシア帝国もソ連も、なんでフィンランドやスウェーデンを手に入れたかったのですか？

内陸国には海に出たいという渇望があるんだよね。ロシアは内陸国ではありませんが、国土が面している海のほとんどが北極海でしょう。冬には海が全部凍ってしまって国土の中に閉じ込められます。スカンディナビア半島に領土を広げれば、北海・大西洋へ出ていけます。

世界史で、ロシアは冬でも凍らない不凍港を求めて南下政策を行った、と習ったと思うけど、とにかく海に出たい思いが強い。冬の間だけ我慢すればいいと思うかもしれませんが、ロシアの夏はとても短くすぐに長い冬がやってきます。不凍港が欲しいという思いが領土拡張の原動力になってきたのです。

北欧については、世界史の教科書で記述が少ないですよね。北欧は中世にデンマーク、近世にスウェーデンが大国になり、フィンランド、ノルウェー、アイスランドをそれぞれ支配していた時代があったことは、あまり知られていません。また、フィンランドが19世紀から20世紀にかけて約1世紀の間ロシアの領土になっていたことや、第二次世界大戦中にソ連と2度戦っていたことも知らない人が多いと思います。ここで、北欧全体の歴史を整理しておきましょう。

ヴァイキングから始まる北欧の歴史

北欧といえば、ヴァイキングを連想する人も多いと思います。8世紀末から11世紀にかけて、ヨーロッパ沿岸の各地で交易や略奪を行った「海賊」として知られていますね。日本で多種の料理をテーブルに並べ、各自が好きなものを好きなだけ取って食べる食事形式を「バイキング」といいますが、これはスカンディナビアの食べ放題の食事形式がもとになったそうです。北欧のイメージで「バイキング」と名付けられたようですね。

では、海賊のヴァイキングの話を続けましょう。彼らはスカンディナビア半島やユトランド半島に住んでいた、ゲルマン人の一派（北ゲルマン）のノルマン人です。海賊のイメージが強いですが、海賊専業だったわけではありません。日常は農業を営み、捕鯨者、傭《よう》兵《へい》、商人などでもある、多様な生業《なりわい》を持つ人々だったそうです。

ヴァイキングが活発に活動した時期は、ヨーロッパで温暖な気候が続いた「中世温暖期」

で、人口が増加したため、海洋に進出して交易や略奪を行い、ヨーロッパ各地に移住したと考えられています。

彼らは、細長くて底の浅いヴァイキング船に乗り、ある一派は北フランス、スペイン、地中海に入り、別の一派は東方に進んでロシアから黒海に南下し、またスコットランド、アイスランド、グリーンランドに移住し、遠く北米大陸まで到達した者もいました。ノルマン人がもともと住んでいた土地にはデンマーク、スウェーデン、ノルウェーの諸王国が建設され、キリスト教を受け入れて、北欧は西ヨーロッパ世界に組み入れられることになりました。

では、フィンランドはどうなのかというと、フィンランドの元々の住民はインド・ヨーロッパ語族に属するゲルマン人ではなくて、ウラル語族のフィン人です。1章でも少し触れましたね。フィン人をモンゴロイドと考える人が多いようですが、コーカサス系（コーカソイド）のようです。長い間スウェーデンやロシアに支配されていたため、現在ではほかの北欧諸国の人々と区別はつきません。10世紀頃にデンマーク、スウェーデン、ノルウェーに王国ができても、フィンランドはまだ国としてまとまっていませんでした。12世紀半ば頃、スウェーデン王がキリスト教化と征服を目的としてフィンランドに侵攻し、フィンランドはスウェーデンの領土になりました。

13世紀頃になると、デンマークが北海とバルト海の貿易で栄え、北欧地域で最も有力になります。現在のスウェーデン南部のスコーネ地方や、バルト海の真ん中にあるゴットランド島を領土とし、エストニアまで進出しました。

14世紀末には、デンマーク女王マルグレーテが主導して、ノルウェー、スウェーデン、デンマークの間で「カルマル同盟」を結び、北欧3か国を同君連合の王国としました。カルマルは会議が行われたスウェーデンの都市名です。また、同君連合とは、ふたつ以上の独立した国々が、ひとりの君主のもとに連合していることです。実質的に、デンマークがスウェーデン、ノルウェーを支配することになったのです。

カルマル同盟によって、デンマークは、グリーンランドも領有することになりました。グリーンランドがノルウェー領だったからです。グリーンランドは現在もデンマークの領有になっていますが、自治政府が統治しています。

また、アイスランドは9世紀にノルウェーのノルマン人（ヴァイキング）の入植が始まり、13世紀以降ノルウェーの支配を受けていましたが、カルマル同盟によってデンマークの統治下に入りました。第二次世界大戦中の１９４４年に独立しますが、アイスランドについては、第5章で詳しく説明しましょう。

中世はデンマーク、近世はスウェーデンが大国に

デンマークは北欧3か国の盟主として15世紀に最も栄えましたが、16世紀になるとスウェーデンが反乱を起こして分離独立します。カルマル同盟は実質的に解体しましたが、デンマーク＝ノルウェー二重王国となり、デンマークのノルウェー支配は続きました。ノルウェーはカルマル同盟以降400年以上もデンマークの支配を受け続けるのです（P78図表⑦）。

次に北欧の勢力図に影響を及ぼしたのが、17世紀前半にドイツで起きた「三十年戦争」（1618〜48年）です。これは、世界史の教科書に出てくるよね。

Q「三十年戦争」とは、どんな戦いだったでしょうか？

――ドイツでキリスト教の旧教（カトリック）と新教（プロテスタント・ルター派）の内乱が起きて、ヨーロッパのほかの国々も介入して大規模な戦争になってしまいました。

そうですね、30年続いた戦争のきっかけは、当時ドイツを統治していた神聖ローマ帝国が皇帝領のベーメン（ボヘミア、現在のチェコ）のルター派の信者にカトリック信仰を押

しつけたことでした。当初は信者間の紛争でしたが、スペインが旧教側を支援し、新教国のデンマークとスウェーデンが新教側について介入し、国際的な戦争となります。

神聖ローマ帝国は15世紀以降ハプスブルク家が世襲していました。フランスのブルボン朝はカトリックでありながら、対立するハプスブルク家を弱体化させるため、なんと新教側についてスペイン軍と直接戦います。決着はつきませんでしたが、もはや宗教対立をこえてヨーロッパの覇権争いに変質したわけですね。戦場となったドイツは荒廃し、その後長く停滞することになりました。

この戦争は、1648年にウェストファリア条約が成立して終結します。新教側の中心として戦果を挙げたスウェーデンは、大陸側

図表⑦—**北欧の国々の主従関係（13世紀以降）**

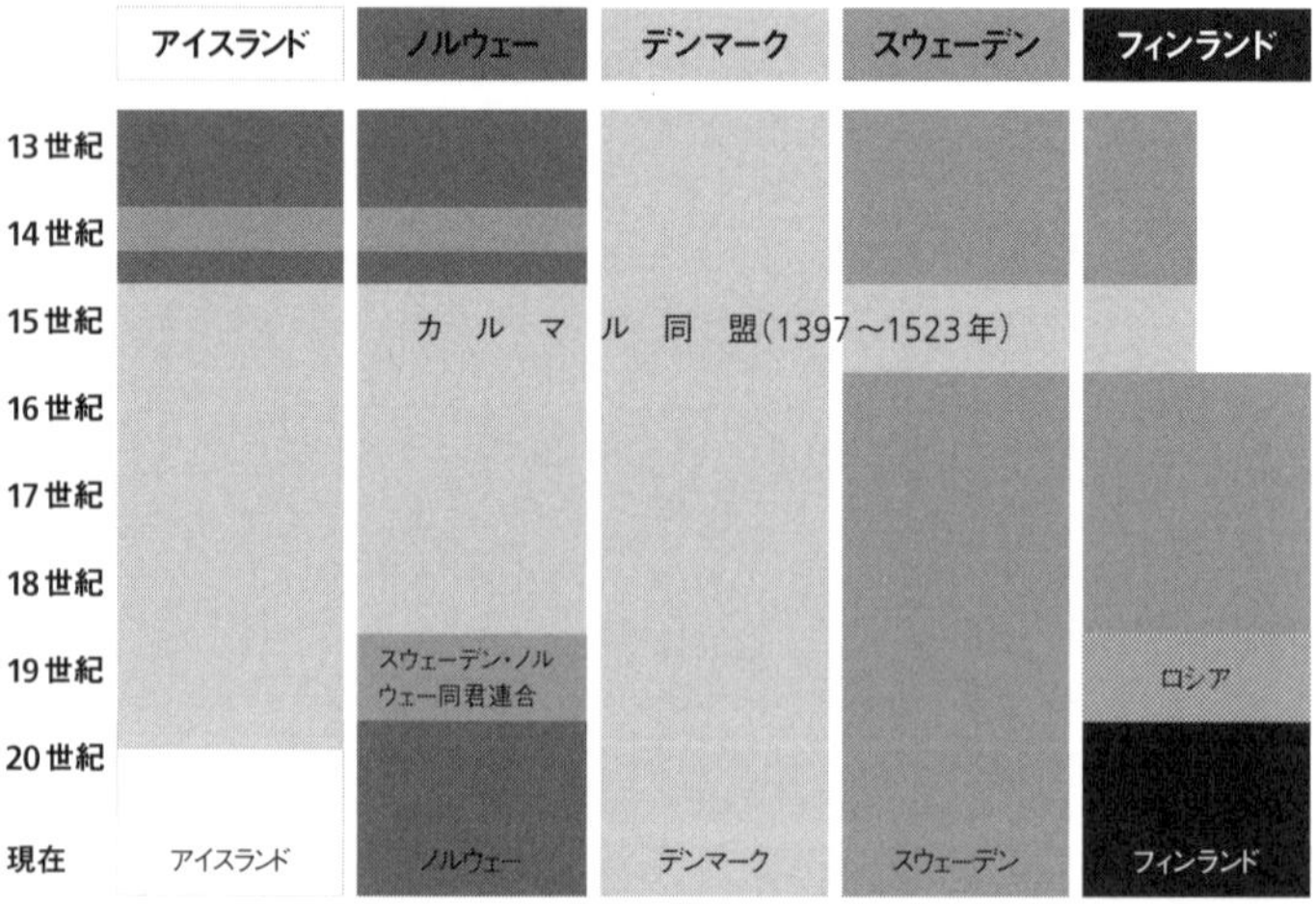

上部にあるそれぞれの国の色で各世紀の支配関係を大まかに示した

に領土を得て、バルト海を内海とする「バルト帝国」を築きます。

一方、デンマークはスウェーデンより先に三十年戦争に介入しましたが失敗。スウェーデンが新教徒軍の盟主として勝利すると、成功を妨害しようと出兵するも、敗北して衰退が始まります。三十年戦争を期にデンマークとスウェーデンの地位が逆転したのです。

さらに、19世紀には、ドイツを統一したプロイセンと国境地帯の領土の帰属をめぐって対立。デンマークはプロイセン・オーストリア連合軍と戦い、敗れてしまいます（デンマーク戦争／1864年）。その結果、デンマークはヨーロッパ大陸とつながる肥沃な南部国境地帯の領土を奪われ、小国へ転落します。この時、国土の約40％を失ったデンマークは、残された国土を豊かにして生き残ろうとします。デンマークで思いつく産業といえばなんですか？


——**酪農です。**


はい、そうですね。デンマークはこの敗北から、国土の開発と酪農を中心とした農業国に転換するのです。失った領土を取り戻して再び大国を目指すのではなく、残された領土を開発して豊かになろうという「小国主義」の考え方です。その方針は現在まで受け継がれています。

では、デンマークの没落と反対に、大国になったスウェーデンはその後どうなったのか。

17世紀後半にバルト帝国といわれる絶頂期を迎えましたが、ピョートル大帝率いるロシアが東方から進出してきます。ロシアはデンマーク、ポーランド、ザクセン（現在のドイツの一部）と同盟を結び、バルト海の覇権をめぐってスウェーデンと戦争になります。「北方戦争」と呼ばれる戦争は1700年から21年続き、スウェーデンは負けてしまいました。バルト海周辺の領土を奪われ、スウェーデンの最盛期は終わります。

それでも、19世紀初めまでは大国でしたが、「ナポレオン戦争」によって変わっていきます。ナポレオン戦争とは、ナポレオン・ボナパルトが行った一連の戦争で、ヨーロッパの主要国をほぼ全て巻き込み、19世紀初頭から約15年間続きました。フランス革命の理念の拡大を大義としていましたが、ほかのヨーロッパ諸国からみれば、ナポレオンによる侵略戦争でした。ヨーロッパは大混乱に陥り、北欧も戦争の波をかぶることになったのです。

1805年、スウェーデンはイギリス、ロシア、オーストリアなどとともに対仏大同盟（第3回）を結成し、フランスと戦いますが、オーストリア・ロシアの連合軍がアウステルリッツの戦いで敗れるなどして、ロシアがフランスと講和。その後フランスとの講和条件にしたがってロシアがスウェーデンに攻め込み、フィンランドをロシアに奪われます。

スウェーデンではその後、ナポレオンの副官だった人物（カール・ヨハン）を王太子に迎えます。この時代にスウェーデンの船舶がフランス軍に拿捕《だほ》される事件が起きますが、スウェーデンは反フランスを掲げるイギリスにつかず、フランスにも与しない中立な立場をとり、これがスウェーデンの外交の基本政策になります。その後、カール・ヨハンは対仏大同盟に加わり、1813年にフランスを撃破します。

なお、ナポレオンのフランスと同盟を結んでいたデンマークは、1814年にノルウェーをスウェーデンに割譲することになりました。ノルウェーは反発して同年に独立宣言しますが、スウェーデン軍に抑えられて降伏しました。ただし、交渉の結果、併合ではなくスウェーデン王がノルウェー王を兼ねるという同君連合の形となったのです。ノルウェーが独立するのは、それから約100年後の1905年のことです。

――ロシアの領土になったフィンランドはどうなりましたか？

ロシアはフィンランドを「大公国」とし、ロシア皇帝が大公となり、スウェーデン時代の司法、教育などの制度がそのまま維持されました。ルター派教会やスウェーデン語の使用なども認められていました。しかし、最後の皇帝となるニコライ2世がロシア化政策を推進し、フィンランド国民は大ストライキで抗議するなど、独立への機運が高まります。

第一次世界大戦中の1917年、ロシア革命によってロシア帝国が倒れ、ソビエト政権（ソビエト・ロシア）が誕生しました。同年12月、フィンランドは独立宣言し、ソビエト政権も認めました。フィンランドはスウェーデン、ロシアに通算700年以上支配され、ようやく独立することができたのです。

Q ドイツが、ソ連が、北欧に攻めてきた 20世紀最大の出来事といえば、何を思い浮かべますか?

──**やっぱり、2度の世界大戦があったことです。**

はい、そう思いますね。20世紀に、世界は未曽有《みぞう》の戦争を2度経験しました。第一次世界大戦(1914~18年)が起きると、スウェーデン、デンマーク、ノルウェーは中立を宣言します。デンマークに隣接するドイツからの圧力はありましたが、3か国はどうにか戦わずに中立を守りました。

しかし、世界は再び大きな戦争を始めてしまいます。第二次世界大戦(1939~45年)です。北欧のスウェーデン、デンマーク、ノルウェーと、第一次世界大戦中に独立したフィンランドの4か国は、今度も中立を保とうとしました。ところが、デンマークとノルウェーはドイツに、フィンランドはソ連に攻められてしまいます。

開戦から半年経った頃、ドイツ軍が突如、デンマークとノルウェーへ攻撃を開始しました。

ドイツ軍のねらいはノルウェーを占領することでした。占領すればイギリスに空軍と海軍で攻撃しやすくなるからです。ノルウェーを攻撃するにはデンマークを通らなければならないので、ドイツ軍はデンマークも攻撃したのです。デンマークとドイツは不可侵条約を結んでいたのですが、それを破棄して攻めてきたのです。驚いたデンマークは、国民の流血を恐れ、ドイツ軍の侵攻から数時間で降伏してしまいました。

ノルウェーも、デンマークと同時にドイツから攻められましたが、ノルウェー軍の士気は高く、南部は占領されたものの北部ではイギリスの援軍とともに粘り、ドイツ軍の侵攻を約2か月にわたって食い止めます。しかし、イギリスの援軍が自国に戻ると耐えきれず、国王と政府首脳はイギリスへ亡命しました。ノルウェーはドイツ軍に占領されますが、一般市民中心の激しいレジスタンス（抵抗運動）が行われました。

もっとも苦労したのは、ソ連と2度戦うことになったフィンランドです。大戦の序盤、ドイツの快進撃に恐怖を覚えたソ連がフィンランドを緩衝地帯にしようと考え、国境付近の領土割譲などを求めてきます。フィンランドが拒否すると、ソ連がフィンランドを攻撃しました。これをきっかけに、フィンランドはソ連と2度にわたる戦争をして多くの犠牲者を出します。そのうえ、枢軸国側の敗戦国という立場に立ってしまうのです。どういうことなのか、ふたつの戦争と戦後の復興については、次のフィンランドの章で詳しく話しましょう。

――スウェーデンはどうしていたのですか？

スウェーデンは他国から攻撃されなかったのですが、デンマーク、ノルウェー、フィンランドが攻撃されてしまったでしょう。中立を保ちたいけれど、戦争当事国になった北欧の仲間を助けたいというジレンマに苦しみます。ソ連やドイツの圧力にさらされるという同じ境遇から、北欧諸国の間には、連帯感が生まれていました。

スウェーデンは悩んだ末に、フィンランドとソ連の戦争に、正規の軍隊の代わりにスウェーデン人の義勇軍を送ります。また、デンマークとノルウェーがドイツに侵攻されて占領されると、さまざまな支援を行いました。

スウェーデンとフィンランドがＮＡＴＯに加盟申請

第二次世界大戦が終わると、東西冷戦が始まって、北欧諸国は東西どちらの側につくかの決断を迫られます。デンマーク、ノルウェー、アイスランドはＮＡＴＯに加盟しました。スウェーデンとフィンランドは中立政策をとりますが、両国の〝中立〟には違いがありました。

Q　スウェーデンとフィンランドの中立政策の違いはなんでしょう？

――スウェーデンは、中立といっても実質的に西側じゃないですか。NATOに加盟してなくても軍事力が高いし、アフガニスタンに派兵もしていたし……。

よく知っているね。そうなんだよ。第二次世界大戦後、スウェーデン政府は対外政策の中で「戦時の中立を目的とする平時における非同盟」を原則としました。戦争や紛争が起きた時、スウェーデンが巻き込まれる恐れのある同盟関係を平時に結ばないというもので、非武装中立ではありません。軍事力はかなり高いし、航空機・軍需品製造で有名なサーブ（ＳＡＡＢ）のような企業もある。軍事的にはすでに西側との協力関係があります。つまり、ロシアをずっと仮想敵国とみなしていたということです。だから、スウェーデンの中立は〝表向きの中立〟とよく言われます。

一方、フィンランドのほうは、過去に侵略されていますから、とにかくソ連を刺激しない、あるいは、ソ連に協力していくというやり方の〝中立〟を続けてきたんです。今から40年前になりますが、中曽根《なかそね》康弘《やすひろ》首相（当時）がフィンランドの「親ソ政策」を、あんなふうになってはいけない、という意味を込めて「フィンランド化」と言ったんですね。すぐに、在日フィンランド大使館から抗議を受けたわけですが。まあ、それくらい、フィンランドはソ連に気を遣っていると思われていたわけです。

フィンランドとスウェーデンの中立には違いがありますが、長年の戦略を変えてNATOへ加盟申請した理由の根源は、「ロシアが攻めてくるかもしれない」という恐怖でしょう。ロシアのウクライナ侵攻によって、にわかに現実味を帯びたはずです。その恐怖は、地続きの国ならではの実感でしょう。過去の戦争の記憶も消えていません。特に、ロシアと隣り合うフィンランドが、強い危機感を持つのは当然です。

フィンランドといえば、近年、教育システムや育児支援、核廃棄物の最終処分の取り組みなどで先進的な活動をしていて、日本からも多くの人が見学に訪れています。日本ではあまり知られていないフィンランド・ソ連戦争の実態と、戦後に教育・福祉・IT産業などの分野で躍進した理由について、次の章で一緒に考えていきましょう。

第3章
フィンランド
──2度の戦争から教育大国へ

「冬戦争」とウクライナ危機の類似

では、フィンランド（左ページ図表⑧）について見ていきましょう。第二次世界大戦の間に、フィンランドは2度ソ連と戦いました。フィンランドでは最初の対ソ戦を「冬戦争」（1939〜40年）、2度めの対ソ戦を「継続戦争」（1941〜44年）と呼んでいます。そんな戦争があったなんて知らない、という人が多いかもしれませんね。ところが、戦争の経緯を見ていくと、ロシアのウクライナ侵攻とそっくりだなと思うことがあるんです。解説していきましょう。

1939年9月1日、ドイツがポーランドに侵攻し、第二次世界大戦が始まりました。ソ連も同月17日にポーランドに進軍し、両国でポーランドを分割して占領します。ここまでは両国のシナリオどおりでした。というのも、ドイツとソ連は戦争の直前に「独ソ不可侵条約」を結び、秘密協定で両国の東欧における勢力圏を定めていたのです。ポーランドの東半分とバルト三国はソ連の勢力圏になることが決められていました。

それでも、ソ連はドイツに対する不信感を持ち続けていました。ドイツがいずれ相互不可侵条約を破ってソ連に攻めてくるのではないか、と恐れていたのです。そこで、ソ連は

図表⑧―**フィンランド共和国基礎データ** | 出典：外務省HP、IMF、フィンランド政府HP

首都	ヘルシンキ
面積	約33.8万平方キロメートル（日本よりやや小さい）
人口	約553万人（2021年）
言語	フィンランド語、スウェーデン語（全人口の約5%）
宗教	キリスト教（福音ルーテル派、正教会）
政体	共和制
元首	サウリ・ニーニスト大統領
名目GDP	2810億米ドル（世界48位）
一人当たり名目GDP	5万655米ドル（世界17位）
通貨	ユーロ

ペッテリ・オルポ

第47代フィンランド首相
（2023年6月20日〜）

1969年11月3日、コイリョ生まれ。大学生の頃、学生団体活動に参加し、政治に興味をもつ。1998年、南西フィンランド国民連合党の事務局長に就任する。2007年、国会議員に初当選。2014年に農林大臣に就任して以降、内務大臣、財務大臣を歴任。2016年、国民連合党の党首となり、翌年、フィンランド副首相に。2023年4月の議会選挙で国民連合党が勝利。フィンランド党、スウェーデン人民党、キリスト教民主党と右派連立政権を樹立し、首相に選出された。

フィンランドを緩衝地帯にしようと考えました。フィンランドに、軍事条約を結んで領土交換をしようと持ち掛けます。

交換しようと言った領土の場所がわかる地図がありますね（地図②）。レニングラード北部のカレリア地峡、バレンツ海に面したルイバチー半島の国境付近、フィンランド湾の4島をソ連に割譲し、ハンコ岬を30年間貸与してほしい。その代わりソ連領カレリア地方の一部をフィンランドに譲渡する、というのです。

地図を見ると、ソ連が譲ると言った領土のほうが面積でははるかに広いよね。ソ連トップの書記長だったヨシフ・スターリンはこう言いました。「我々は二七〇〇平方キロを要求しているのです。し

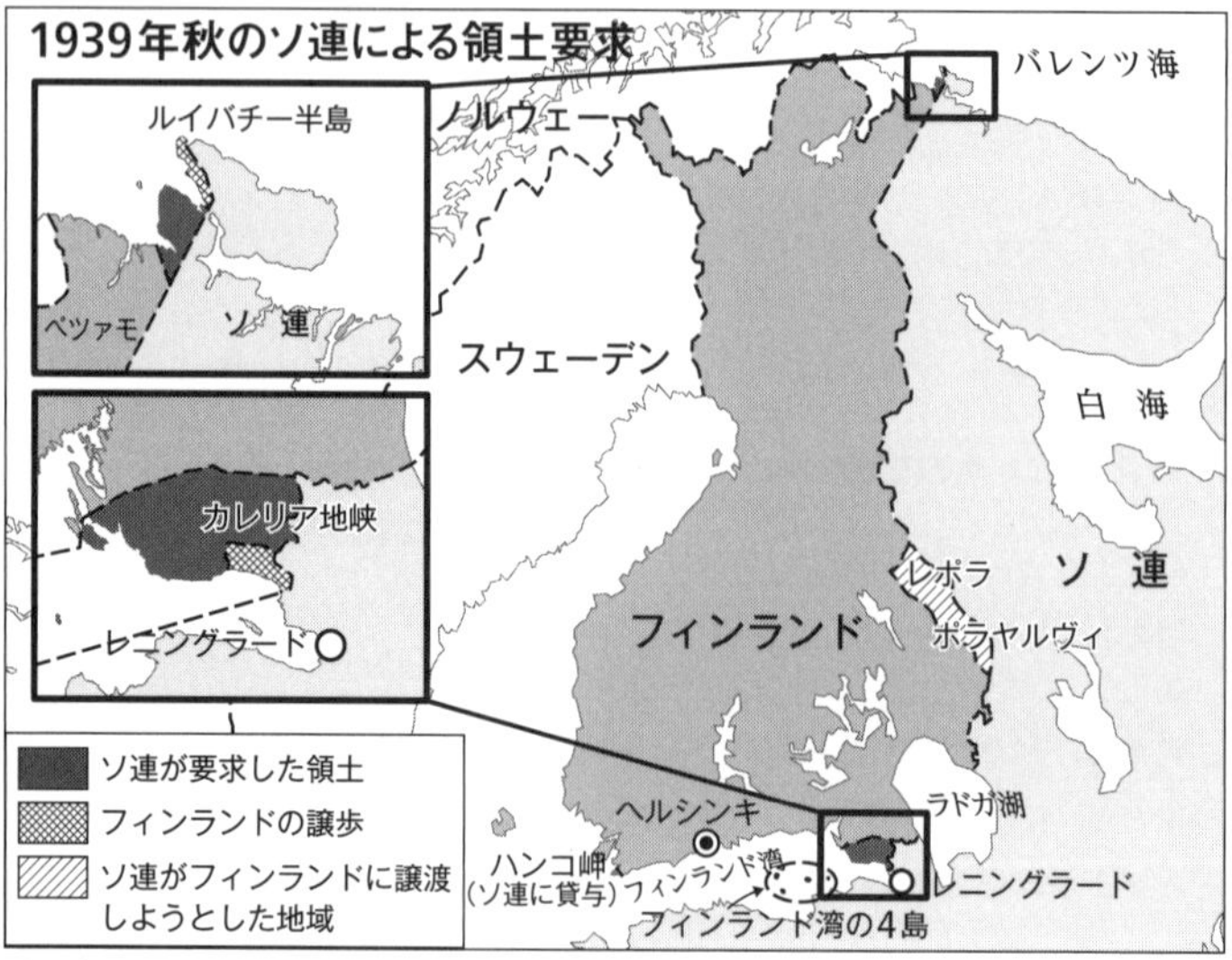

地図②―ソ連からの領土要求

かしその代わりに五五〇〇平方キロを上げようというのです。どの大国がこんな寛大さをもっているでしょうか？　我々のような馬鹿者だけが、出来ることですよ！」（『新版　嵐の中の北欧』武田龍夫　中公文庫）

けれども、スターリンがフィンランドに譲れと求めたのは戦略上非常に重要なところで、代わりに得られる地方は不毛の荒野でした。フィンランドはこれを断ります。すると、ソ連が「フィンランド軍がソ連領内に侵入して発砲し、ソ連兵が死亡した」と言ってくるんですね。ソ連は「フィンランドと不可侵条約を交わしていたが、もう意味がない。フィンランドが先に手を出したんだから、この条約に関係なく、ソ連は自分の国を守るためにフィンランドを攻撃する」と言って、1939年11月末、いっせいにフィンランドに攻め込んできました。そして2日後には、親ソ派の「フィンランド民主共和国」という国をでっち上げ、傀儡政権を据《す》えたのです。

ソ連崩壊後に、この時、先に発砲したのはソ連軍のほうだったことが明らかになっています。敵の仕業に偽装した攻撃を仕掛け、軍事侵攻の口実にすることを「偽旗作戦《にせはた》」といいますが、まさに偽旗作戦の見本のようなやり方でした。「あれ？」と思いませんか。2022年に、ロシアがウクライナ東部で親ロ派による共和国の独立を宣言させて、ロシア系住民の保護を口実に侵攻を始めたのと、そっくりでしょう。

ちなみに、1950年の6月、北朝鮮が北緯38度線（軍事境界線）を越えて南に攻撃する時に、「韓国軍が攻撃してきたので、我々は自分の国を守るために反撃をする」と言って、韓国に攻め込んだんですね。これもまた偽旗作戦だったのです。実際には北朝鮮が綿密な準備をして韓国に攻め込んだことが、戦後かなり年数が経ってからわかりました。

ソ連は、朝鮮戦争の時、北朝鮮にさまざまな援助をしていました。そのことは一切秘密になっていたのですが、ソ連崩壊によって、当時のいろんな情報が公開されたのです。

あるいは、第二次世界大戦末期の1945年8月9日、ソ連軍は「日ソ中立条約」を破って、旧満州に侵攻しました。ソ連は同年4月に日ソ中立条約不延長を日本に通告していましたが、規定では、条約は不延長通告後1年間有効でした。日本は、まだ条約が有効な間にソ連が攻めてくるはずがないと思っていました。でも、ソ連は条約の規定を無視して攻めてきたのです。平和条約を結んだから大丈夫というわけではないんですね。条約を常に守る、守らせるという緊張感を持っていないと、向こうの都合であっという間に攻められてしまうことがあるのです。

話を戻しましょう。フィンランドは、この時（緒戦）、ソ連軍約50万人の大部隊に攻め込まれました。対するフィンランド軍は約13万人（諸説あり）で、圧倒的な戦力の差がありました。兵士に十分な装備が行き渡らず、軍服がなくて自前の服で戦った者もいたと言います。ソ連軍は、フィンランドなんてひとたまりもない、3日で片が付くと言っていたんですね。ところが、フィンランドが予想に反して粘り強く抵抗し、のちに「冬戦争の驚異」と語り継がれるほど善戦したのです。

どうですか、2022年にロシアがウクライナに侵攻した時に、ウクライナはすぐに降伏するって言ってたでしょう。だから、最初にキーウを攻撃したロシアの戦車は、水も食糧も燃料もわずかしか持っていませんでした。数日で勝てると思っていたら、長期戦になっているわけです。当時のソ連も、フィンランドの頑強な抵抗にあい、ずるずると戦争が長引き、大打撃を受けてしまいます。11月に始まって翌年の3月まで続いたので「冬戦争」というんですね。

「歴史は繰り返さないが、韻《いん》を踏む」という言葉があります。『トム・ソーヤーの冒険』の著者で知られるアメリカの作家マーク・トウェイン（1835〜1910年）の言葉といわれています。「いわれています」なのは、出典が見つかっていないので断定できないからです。でも、歴史を学ぶ意義についての名言として知られています。歴史上の出来事がそのまま繰り返されることはありませんが、現在起きていることが「歴史に出て来るあれにそっくり」と思うことはよくあって、「韻を踏む」状態になっている、ということですね。ロシアのウクライナ侵攻が長引くにつれ、「冬戦争」と似ているという声がメディアに上がるようになりました。

フィンランドはなぜ善戦したのか

――フィンランドは、どうやって強力なソ連軍に対抗したのですか？

フィンランド軍は、地の利を生かして勇敢に戦いました。なかでも活躍したのが「スキー部隊」です。主戦場となったカレリア地峡は森林が多いところです。スキー部隊は雪景色に溶け込むように全身白い装束で、森の中を縦横無尽に動き回って、ソ連軍を奇襲したんです。

その時に、フィンランド軍は戦車を破壊するような強力な武器を持っていないので、手づくりの火炎瓶を使用しました。酒瓶にガソリンやタールなどを詰めて、そこにぼろきれの布をつけて、火をつける。で、それを投げると、戦車のところで破裂して戦車が炎に包まれるという、そういう方法で対抗したのです。ソ連軍は、森の中から飛んでくるおびただしい火炎瓶に恐怖を覚え、戦車は前進できなくなりました。

だから、ロシアがウクライナに侵攻してきた時に、ウクライナの市民がせっせと酒瓶にガソリンを詰めて、布切れを用意し、火炎瓶をつくっていたでしょう。あれは戦争が激化したら、投げて戦う準備をしていたんですね。

――フィンランドはソ連から突然攻められましたが、戦争を予測して火炎瓶とかの準備をしていたのですか?

フィンランドには、戦争が起こることを予測し、準備を進めていた人物がいました。冬戦争、継続戦争の時、フィンランド軍を率いた総司令官カール・グスタフ・マンネルヘイム(写真⑤)です。彼は、フィンランドで今でも尊敬を集めるカリスマ的な指導者でした。マンネルヘイムは、ソ連がドイツの進軍を非常に恐れていて、フィンランドを緩衝地帯にするための戦争もいとわないと察知していました。だから、領土を減らしてもソ連軍と戦うよりはましと、政府に領土交換を呑《の》むように進言していたんだよね。でも、受け入れら

写真⑤―**カール・グスタフ・マンネルヘイム(1867〜1951年)**|写真提供:Bridgeman Images / PPS通信社

フィンランドの軍人・政治家。フィンランド第6代大統領。貴族の出身でロシア軍の高級将官となり、日露戦争、第一次世界大戦に従軍。のちに司令官となる。1917年のフィンランド独立後、自国に戻り軍の要職に就く。フィンランド内戦において白衛軍を率い勝利。冬戦争、継続戦争では総司令官を務め、優勢だったソ連軍に善戦した功績で英雄となった。1942年に同国唯一の元帥となり、44年には大統領に就任し、継続戦争の収拾にあたったが、病気療養のために2年後に辞職した。現在でも最も偉大なフィンランド人として国民に親しまれている。

れなかった。
それならと、マンネルヘイムは来《きた》るべき戦争に備えて、軍事訓練の名目で軍を臨時召集したり、カレリア地峡とフィンランド湾を結ぶ要衝に「マンネルヘイム・ライン」と呼ばれる防衛線を設け、トーチカ（コンクリート製の小型防御基地）や塹壕《ざんごう》を設置したりしたんです。この時に、マンネルヘイムという優秀で冷静な指揮官がいたことは、フィンランドにとって幸運でした。
さらに、フィンランドにはすごい狙撃手がいたんだよね。ソ連軍から「白い死神」と恐れられていたシモ・ヘイヘ（ハウハとも。１９０５〜２００２年）です。冬戦争で５４２人を射殺したという記録が確認されていて、これが世界戦史で最多とされているんです。

――フィンランドは善戦したけど、やっぱり負けてしまったのですか？

フィンランドは粘り強く抵抗して善戦をしたのですが、ソ連がシベリアや欧州から兵を動員して大攻撃を展開すると、じりじりと後退を余儀なくされます。フィンランドは国がなくなってしまいそうになるまで戦い、泣く泣く停戦に応じました。

――前の授業で、冬戦争の時、スウェーデンが義勇軍を送ったと聞きました。フィンランドに国際的な援助はなかったのですか？

スウェーデンは約８０００人の義勇軍をフィンランドに送り、武器や食料、衣料品などを大量に援助しました。しかし、各国から集まった義勇軍はスウェーデンを含めて1万1500人ほどで、戦局を変えるほどの力にはなりませんでした。国際世論はフィンランドに同情的で、国際連盟（1920～46年）はソ連の侵攻を非難し、ソ連を除名処分にしましたが、それ以上のことは何もできませんでした。

ロシアのウクライナ侵攻が始まった時、やはり国連（国際連合）が無力だという批判が出ましたね。安保理（安全保障理事会）の常任理事国であるロシアが拒否権を使って、安保理が何もできないでいる。国際平和機関が機能しないところも、冬戦争と似ていますね。

結局、冬戦争後の和平交渉で、フィンランドはソ連の要求を全部受け入れることになりました。領土の変化の地図（P98地図③濃い色の箇所）を見てください。フィンランドは、1939年にソ連が要求した時より広い領土を取られてしまったのです。

さらに、冬戦争の影響は、意外なところに及びます。この戦いを見ていたドイツが、「フィンランドに手を焼いてるようでは、ソ連軍は大したことないな」と思うようになり、それがやがてドイツによるソ連の侵略につながったといわれています。しかし、冬戦争で苦戦したソ連も、軍備を整えて立て直しをはかっていました。

まあ、フィンランドとしてはとにかく激しい抵抗をした結果、なんとか停戦に持ち込むことができたわけです。フィンランド人の国民性を表す「シス（Sisu）」という言葉があります。あきらめない心、不屈の精神といった意味なのですが、冬戦争では「シス」が存分に発揮されたといえるでしょう。

フィンランドは1917年に独立した後、すぐに白衛軍（資本家階級）と赤衛軍（労働者階級）による内戦があり、白衛軍が勝利を収めたことを第1章で話しましたね。白衛軍を率いたのがマンネルヘイムだったのですが、冬戦争が始まった頃は、まだ内戦による分裂が尾を引いていました。それが冬戦争で国民の連帯が強まり、国内がひとつにまとまったという見方があります。とても皮肉なことですが、外敵との戦争にはそういう面もあるのです。

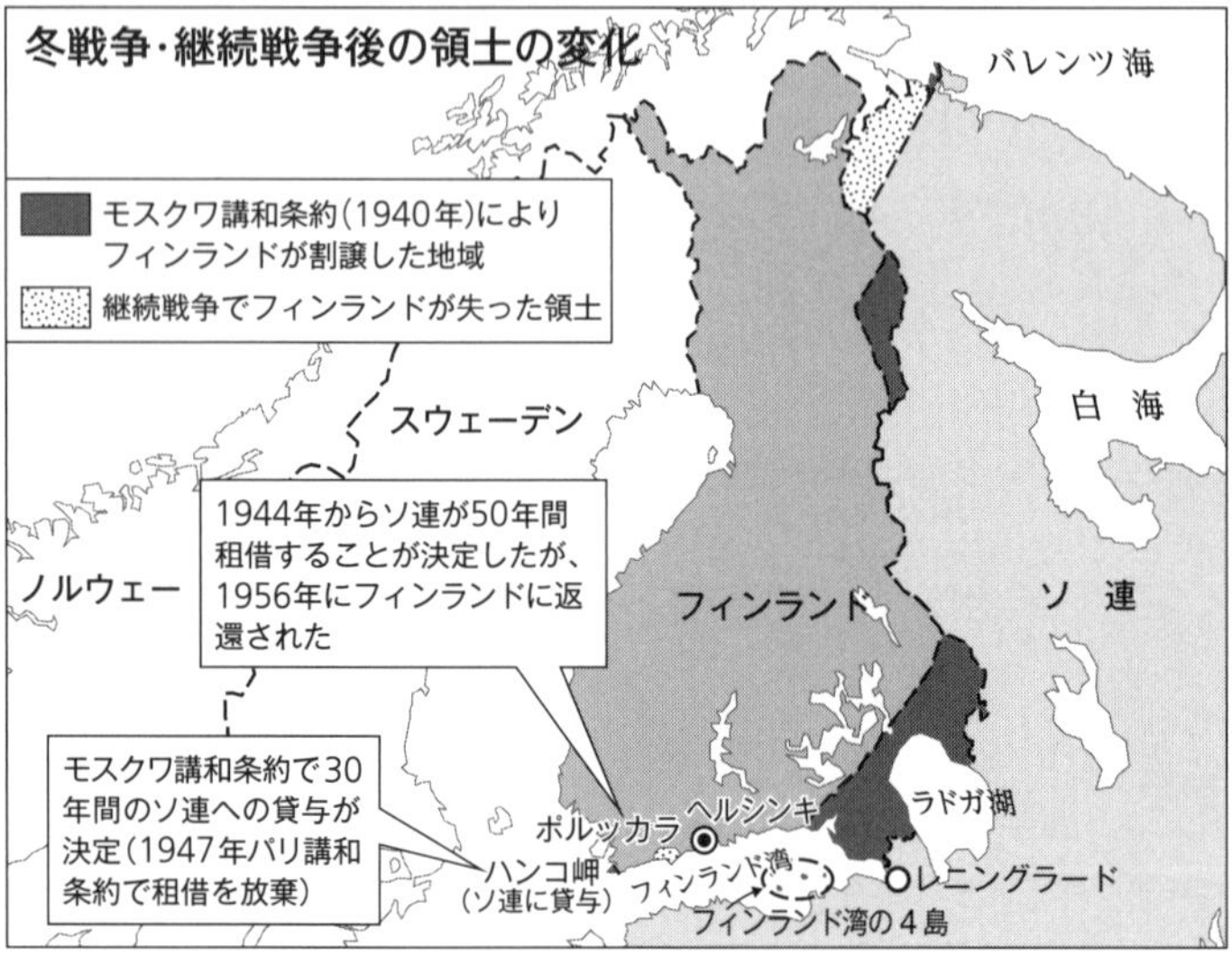

地図③—冬戦争・継続戦争後の領土の変化

フィンランドは冬戦争で領土をかなり奪われてしまう結果になりました。なんとか取り戻したい、という思いがあるわけだよね。そして、１９４１年を迎えると、ドイツがいよいよソ連に向かって攻撃を開始します。この時、フィンランドは絶好のチャンス到来と考えるのです。

「継続戦争」はどんな戦争だったのか

第二次世界大戦の前半、ヨーロッパでヒトラーのドイツが快進撃をしていました。ドイツ軍は、１９４０年4月にデンマークとノルウェー、5月にオランダとベルギー、さらに6月にフランスのパリを占領します。ドイツの優勢を見て、フィンランドは「これならドイツが勝つんじゃないか、ソ連はドイツと対抗するのに精一杯だから、取られたところを取り戻す絶好のチャンスだ」と考えました。

フィンランドは、冬戦争の経験から一国でソ連に勝利するのは無理だと学んでいました。そこで、勢いのあったドイツに近づきます。ドイツにとっても、フィンランドはソ連と戦ううえで、地政学的に重要な位置にありました。ドイツ軍がフィンランド国内を通過できれば、ソ連を攻撃しやすくなります。ドイツの要求をフィンランドは受け入れます。その見返りに、フィンランドはドイツから武器や穀物を調達し、両国は関係を深めました。
独ソ戦が始まると、フィンランド政府はすぐに中立を表明して、独ソ戦に参加していないことを国際的にアピールします。でも、ドイツ軍がフィンランド北部に進駐し、そこからソ連を攻撃するので、ソ連はフィンランドも敵とみなして各都市を空爆しました。1941年6月、フィンランドはソ連に対して宣戦布告します。フィンランド軍は、ソ連に取られた旧領土へ進軍し、同年9月に失ったすべての領土を奪還しました。
フィンランドは、この戦いは失った領土を取り戻すためのもので、ナチス・ドイツがソ連と戦っている「独ソ戦」とは別の戦いであると主張します。独ソ戦と区別するために、冬戦争から継続している「継続戦争」と呼びました。ドイツとは別々に同時にソ連を攻撃しただけ、と言うのです。この主張、どう思いますか？

――ドイツ軍が国内に駐留していて、武器協力もしてもらっているから、フィンランドの言い分は、ちょっと苦しいと思います。

はい、ソ連とイギリス・アメリカなどの連合国も、フィンランドはドイツと一緒にソ連を攻めたと認識していました。この時、フィンランド軍が、かつてソ連に取られたところを取り戻すだけにしておけばよかったのかもしれませんが、今度は、フィンランドがソ連領に攻め込んだのです。

フィンランド軍は旧国境を越えて、ソ連領カレリア、通称「東カレリア」の大部分を占領しました。この地方には、フィンランド人と言語的に近いカレリア人が居住し、フィンランドの国民文学とされる叙事詩『カレワラ』の収集の地として知られています。『カレワラ』の主な叙事詩はこの地方の口承詩人から得たもので、ソ連領カレリアは本来わが国の一部だと考えるフィンランド人が多いのです。この機会に領土にできれば「大フィンランド」になると、まあ、欲張ってしまったわけですね。

でも、こうなると自分の国を守る以上のことをしたことになるよね。侵略戦争ということになるわけです。当時、ドイツがものすごい快進撃をしていたから、フィンランドはソ連が負けるだろうと思って、やりすぎてしまった。冬戦争の時はフィンランドに好意的だったイギリスも、フィンランドに宣戦布告しました。

Q 独ソ戦は、最終的にどんな結果になりましたか？

――スターリングラード（現ヴォルゴグラード）の戦いでドイツが敗北して戦局が逆転し、最後はドイツが降伏して、ソ連軍が勝利しました。

はい、そうですね。独ソ戦でのソ連勝利は、第二次世界大戦の転換点になりました。ドイツの敗色が濃くなると、フィンランド政府はソ連との和平交渉を急ごうとします。一方、息を吹き返したソ連軍は、フィンランドの首都ヘルシンキへの空爆を皮切りに、一斉攻撃を開始。フィンランドに占領された東カレリア地方も奪還します。

優位に立ったソ連は、高額の賠償金と国内にいるドイツ軍の排除などを休戦条約の条件とし、フィンランドは窮地に立たされました。そこでまた、ピンチになると頼りにされるあの人物が登場します。1944年8月、マンネルヘイム総司令官が大統領に選出され、戦争の処理に当たることになりました。マンネルヘイムはすぐにソ連との和平交渉に着手し、9月19日にソ連との休戦条約が締結され、3年余に及ぶ「継続戦争」は終わったのです。

枢軸国側での敗戦と高い賠償

——冬戦争での見事な戦い方に比べると、継続戦争はドイツを頼ったり、領土を取り戻すだけでなく、さらに広げようとしたりして、フィンランドは失敗したなと思うのですが……。

結果から見ればそのとおりなのですが、ドイツのヨーロッパにおける快進撃を見て「これはいずれドイツが勝つだろう」と、世界中が思ったんです。日本は日本で思っちゃったわけだよね。

「歴史探偵」として多くの著作を残した作家の半藤一利《はんどうかずとし》さんは、1940(昭和15)年の大流行語が「バスに乗り遅れるな」だったと指摘しています。どういう意味か。「間違いなくドイツがヨーロッパの盟主となるだろう。ならば、アジアは日本が盟主となって新しい秩序をつくる。この機会を逃すな」ということなのです。その結果、日本はドイツと一緒に戦争をすることになり、ひどい目にあったわけですね。

実はフィンランドって、第二次世界大戦の敗戦国なんです。ナチス・ドイツに協力して連合国のソ連と戦って負けたのですから、日本と同じ、枢軸国側の敗戦国になったのです。フィンランドが、自衛のための戦争だと主張しても、認められなかったということですね。『物語 フィンランドの歴史』(石野裕子 中公新書)によると、フィンランドはソ連軍による占領は免れたものの、首都ヘルシンキには連合国管理委員会が設置されます。委員のほとんどがロシア人で、休戦条約が履行されるかを監視しに来たのです。同書には、フィンランドに突きつけられた厳しい条約の中身と、さらなる戦闘に向かわざるを得なかったフィンランドの苦難が書かれています。

休戦条約の主な内容は、①1940年のモスクワ講和条約(冬戦争後の休戦条約)で定めた国境線の確定及び北部のペツァモをソ連に割譲する、②バルト海の要衝ポルッカラへのソ連海軍基地設置の容認、50年間貸与、③ソ連に対し6億ドル(のちに3億ドルに減額)

の賠償金を支払う、④反ソ・反共組織を解散させる、⑤フィンランド軍を大幅に削減、⑥フィンランドからのドイツ軍追放でした。

この中で、ソ連から早急に求められたのが、フィンランドに駐留するドイツ軍20万人の追放です。北部のラップランドに駐留していたドイツ軍は、自主的に撤退することになっていましたが、なかなか進まず、フィンランドの裏切りに対して撤退する際に道路や橋を爆破したり、街に火を放ったりしていました。それでフィンランド軍が出動し、ドイツ軍と戦闘を繰り返しました。１９４４年10月から翌年４月末のドイツ敗北直前まで続いたこの戦争を、フィンランドでは「ラップランド戦争」と呼んでいます。

フィンランドはソ連との戦争でぼろぼろになり、なんとかソ連と休戦条約締結にこぎつけたら、今度はソ連に、フィンランドにいるドイツ軍を追い出せと言われるわけですね。そこで、フィンランドの国内でまた戦争を始めなければならなかったのです。いかに大変だったかわかりますね。ただし、敗戦国になっても、日本とは大きく違うことがありました。

Q 枢軸国側の敗戦国になったフィンランドと日本では、戦後処理の過程で大きく異なることがあります。なんだかわかりますか？

――？？？

これは、あまり知られていませんが、日本やドイツが連合国の戦犯裁判によって裁かれたのに対し、フィンランドは自国で戦争責任に関する裁判を行ったのです。戦時中に大統領や首相、主要閣僚の地位にあった8名が戦時指導者として逮捕され、裁判にかけられました。裁判は、継続戦争終了後に組閣された新政府によって、旧政府の戦争責任を裁くかたちで行われました。フィンランドが変わった、ということを世界にアピールする意味があったのです。判決は全員有罪で、それぞれ2～10年の刑期を宣告されましたが、国民の多くは、戦犯になった元指導者たちに同情的だったといいます。

――ふたつの戦争を指揮し、最後のほうで大統領になったマンネルヘイムはどうなったのですか？

マンネルヘイムは、裁判にかけられませんでした。連合国管理委員会を主導したソ連は、国民的英雄のマンネルヘイムを戦犯にしたらフィンランドの国民を怒らせる、それは得策ではないと考えたからです。マンネルヘイムは、1946年3月に大統領を辞任して、政界を引退。その後はスイスで療養生活を送り、1951年に83歳で亡くなりました。フィンランドに遺体が戻って教会に安置されると、何千もの人が集まり、涙を流して救国の英雄を見送ったといいます。

「よき納税者を育てる」が教育目標に

フィンランドは、ソ連との戦争で大打撃を受けました。冬戦争と継続戦争で約9万人の死者を出し（左ページ図表⑨）、領土の10分の1を失ったのです。当時の人口が400万人の国にとって、大きな損失です。さらに、難民となった約42万人が流入し、政府は住居の確保などの対応に追われました。

ソ連に支払う戦時賠償金も重くのしかかりました。しかし、ソ連が賠償金の半額以上を鉄工品の受け取りで希望したため、製造業が潤い、フィンランドの工業復興のきっかけになりました。その後も、ソ連・東欧市場向けの工業製品がフィンランド経済を牽引することになったのです。

対ソ戦争は国家存亡の危機でしたが、なんとか独立を維持することができました。しかし、東西冷戦が始まると、ソ連はフィンランドを自分の傘下に入れようとして、東欧諸国と同様の「友好協力相互援助条約」を結ぶように求めます。その時、フィンランドは条文の前文に「(フィンランドは）大国の争いの外に留まり、国連の原則に従って平和を維持したい」という趣旨の一文を加えることをソ連に認めさせ、東側陣営とは違うんだ、という立場を明確にしました。

しかし、いつまたソ連にやられるかもしれないという恐怖は、常につきまといました。戦後のフィンランドは、慎重にソ連と友好関係を保ちながら「中立政策」をとってきた、ということですね。

そして、ソ連とつかず離れず仲よくやっているうちに、フィンランドの貿易相手国はソ連がメインになりました。ソ連にさまざまなものを輸出します。ソ連の発展とともにフィンランドも発展する、という経済構造になっていたわけです。

ところが、1991年にソ連が崩壊してしまいました。フィンランドは深刻な財政危機に陥ります。経済が悪いから失業者がどんどん増えて、失業率は一時10％台の後半にまで

図表⑨―**冬戦争・継続戦争の戦力と損失**

｜出典：『世界史のなかのフィンランドの歴史』（明石書店）ほかを参考に編集部で作成

		フィンランド		ソ連
		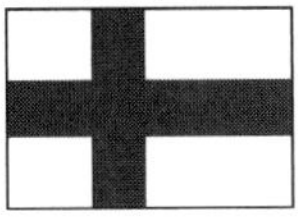		
冬戦争	戦力	33～34万人	兵士	約100万人
		32台	戦車	約3000台
		114機	戦闘機	約3800機
	損失	約2万4000人	死者・行方不明者	12万6875人
		約4万3600人	負傷者	18万8761人
		約1100人	捕虜となった者	5万572人
継続戦争	戦力	フィンランド人53万人、ドイツ人22万人、その他約7000人・戦車・戦闘機は資料なし	兵士	約150万人
			戦車	約4900台
			戦闘機	約5000機
	損失	約6万7500人	死者・行方不明者	約21万人
		約14万5000人	負傷者	約38万5000人
		約2800人	捕虜となった者	約6万4000人

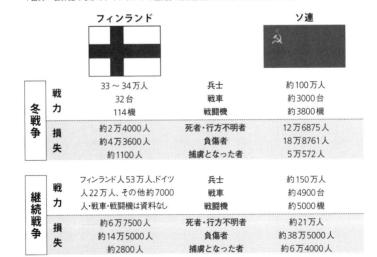

達しました。失業者が増えれば失業保険や生活保護にかかるお金も増える。フィンランドは、これからこの国はどうあるべきか、という岐路に立たされます。そして、ある決断をしました。このままの状態が続けば、フィンランドは先細りするばかり。今は限られた財政を教育に注ぎこもう。優秀な人材を育ててしっかり働いてもらえば税収が増えると考えたのです。フィンランドは教育の目標を「よき納税者を育てる」ことにします。

じゃあ、日本の教育目標って何？　と聞かれたら、すぐに答えられないでしょう。「教育基本法」の第1条では、教育の目的について、次のように規定しています。「教育は、人格の完成を目指し、平和で民主的な国家及び社会の形成者として、必要な資質を備えた心身ともに健康な国民の育成を期して行われなければならない。」（文部科学省ＨＰ）

まあ、教育理念をいろいろ言っていて、このあとの第2条に教育の目標として五つ掲げられているのですが、長くて説明的な文章が続いています。それに比べてフィンランドは単純明快です。よき納税者を育てることが教育の目標なので、ひとりも落ちこぼれを出したくない。そのためには、すべての子どもが平等に教育を受けられる権利を保障しなければなりません。フィンランドでは、小学校から大学までほぼすべてが公立校で、保育園は所得に応じた利用料がかかりますが、大学院まで学費は無料です。そうすると、第1章で紹介したサンナ・マリン前首相のような優秀な人材も出てくる。あるいは、ノキアのようなＩＴ産業も発展していく、ということになるわけですね。

限られた財源を教育に投資した。このことが、フィンランドを大きく発展させるきっかけになりました。つまり、ソ連が崩壊したあと、フィンランドは非常に学力も上がっていったのです。

――もし、ソ連が崩壊しなければ、フィンランドは不況に見舞われず、教育に力を入れることもなかったのでしょうか。

教育改革のきっかけはソ連の崩壊と深刻な不況ですが、その下地は苦闘の歴史の中で培われてきました。第二次世界大戦中にフィンランドがソ連に攻められた時、国際連盟も、イギリス・アメリカも、そして頼みの綱だったスウェーデンも、望んだほどには助けてくれませんでした。スウェーデンから一般国民の義勇軍が来てくれたけど、スウェーデン政府には「うちは中立です、助けられません」と言われてしまいました。スウェーデンはフィンランドを７００年近くも統治していたから、守ってくれるかなと思ったら、当てが外れてしまった。その経験からフィンランドは、「自分の国は自分で守るしかない」という意識を強く持つようになったのです。

国土が荒廃し、大勢の人が死んでしまったフィンランドは、戦後必死になってソ連に戦時賠償金を払いました。自分たちでがんばらなければ、国が維持できなくなる――そういう国家としての危機意識が、次世代の教育に力を入れる動機につながったと思うのです。

フィンランドの学校へ行ってみた

フィンランドの教育が世界的に注目されるようになったのはなぜか？　それは経済協力開発機構（ＯＥＣＤ）が２０００年から3年ごとに、義務教育修了段階の15歳を対象に実施している学習到達度調査（ＰＩＳＡ《ピサ》）で、２０００〜０６年のフィンランドがトップレベルの好成績を収めたからです（左ページ図表⑩）。

ＰＩＳＡの評価項目は「読解力」「数学的リテラシー」「科学的リテラシー」の3分野ですが（２００３年のみ「問題解決能力」が加わり4分野）、２０００年の最初の調査で、フィンランドが「読解力」のトップに立ったのです。これに世界中がびっくりしたんだよね。「えっ、フィンランドがどうしてそんなに学力が高いの？」となって、そこから日本の教育関係者がフィンランドへ視察に続々と出かけたわけです。

実は、私も２００５年にＮＨＫを辞めたあと、２００７年にフィンランドの学校の現場を取材に行きました。もう、目からうろこでしたね。といっても、フィンランドの学校が何か特別なことをやっているわけではないんです。日本の学校でやっていることと内容は

図表⑩―学習到達度調査（PISA）2000、03、06年の結果 ｜出典：OECD

年	順位	読解力 国名	平均得点	数学的リテラシー 国名	平均得点	科学的リテラシー 国名	平均得点
2000年	1	フィンランド	546	日本	557	韓国	552
	2	カナダ	534	韓国	547	日本	550
	3	ニュージーランド	529	ニュージーランド	537	フィンランド	538
	4	オーストラリア	528	フィンランド	536	イギリス	532
	5	アイルランド	527	オーストラリア	533	カナダ	529
	6	韓国	525	カナダ	533	ニュージーランド	528
	7	イギリス	523	スイス	529	オーストラリア	528
	8	日本	522	イギリス	529	オーストリア	519
	9	スウェーデン	516	ベルギー	520	アイルランド	513
	10	オーストリア	507	フランス	517	スウェーデン	512
2003年	1	フィンランド	543	香港	550	フィンランド	548
	2	韓国	534	フィンランド	544	日本	548
	3	カナダ	528	韓国	542	香港	539
	4	オーストラリア	525	オランダ	538	韓国	538
	5	リヒテンシュタイン	525	リヒテンシュタイン	536	リヒテンシュタイン	525
	6	ニュージーランド	522	日本	534	オーストラリア	525
	7	アイルランド	515	カナダ	532	マカオ	525
	8	スウェーデン	514	ベルギー	529	オランダ	524
	9	オランダ	513	マカオ	527	チェコ	523
	10	香港	510	スイス	527	ニュージーランド	521
2006年	1	韓国	556	台湾	549	フィンランド	563
	2	フィンランド	547	フィンランド	548	香港	542
	3	香港	536	香港	547	カナダ	534
	4	カナダ	527	韓国	547	台湾	532
	5	ニュージーランド	521	オランダ	531	エストニア	531
	6	アイルランド	517	スイス	530	日本	531
	7	オーストラリア	513	カナダ	527	ニュージーランド	530
	8	リヒテンシュタイン	510	マカオ	525	オーストラリア	527
	9	ポーランド	508	リヒテンシュタイン	525	オランダ	525
	10	スウェーデン	507	日本	523	リヒテンシュタイン	522

学習到達度調査（PISA）とは…OECDが実施している15歳を対象とする学習に関する調査。読解力、数学的リテラシー*、科学的リテラシーの3分野について調査するもの。2000年から3年ごとに実施されている。2018年は79か国・地域（OECD加盟37か国、非加盟42か国・地域）、約60万人の生徒を対象に調査が実施された。

＊リテラシーとは読み書きの能力や与えられた材料から必要な情報を引き出し活用する能力。応用力のこと。

変わらないのですが、明らかに違うことがいくつかありました。

まず、学校の先生は授業を教えることだけに専念しています。日本の先生がやっているようなことは一切しないんです。たとえば、部活動の顧問の先生っていないのね。部活動は、授業が終わったあとに、スポーツセンターなどからバスがやってきて、その地域のスポーツセンターに行ってやるようになっています。スポーツ以外のいわゆる文科系なら、習い事として学校外で取り組みます。

あるいは、悩みを抱えている生徒のために、カウンセラーを各学校に配置しているわけですね。もちろんフィンランドだって、いじめの問題とか、生徒の悩みはいろいろあるわけです。でも話を聞くのは先生ではなく、カウンセラーです。

それから、もうひとつ、君たちは「三者面談」といって先生と親と3人で、どこの学校なら入れそうだって相談をするでしょう。つい日本的な発想で、「進路指導はどうしてるんですか」とフィンランドの先生に聞いたら、「それぞれのお子さんがどんな進路をとるのかは各家庭の問題でしょう、教師が口を出すべきことではありません」と言われて、なるほど、おっしゃるとおりですと思いましたね。

先生は教えることに専念すればいいので、午後の3時ぐらいに授業が終わると、5時を待たずにさっさと帰ります。日本だと大問題だよね。ちゃんと終了時間までいろという話になるでしょう。だけど、授業が終われば、いても意味がないという、極めて合理的な考え方で、さっさと帰るわけね。先生たちは、自分も子育てをしながら働いているから、保育所に行って子どもを引き取って家に帰って夕飯をつくってという、本当にワークライフバランス（仕事と生活の調和）をしっかり守っています。

そうすると、先生たちにも余裕ができるでしょう。翌日の授業に一生懸命力を入れることができます。教材研究といいますが、先生が生徒たちになんの話をしようか、どういうふうに授業しようかを考えるわけです。だけど、日本の先生たちって、部活動をやったり、生徒指導をしたり、進路相談をしながら教材研究までやるわけでしょう。へとへとになるよね。

フィンランドでは、自分の家庭生活を守りながら、余裕を持って、教材研究に力を入れることができる。だから、学校でもしっかりした授業ができる。そして、フィンランドの場合、ほぼすべてが公立学校だから、みんな家の近くの学校に通います。もちろん、塾なんてありません。学校できちんと勉強すればいいんだよ、という方針なのです。

教師の質が高く、信頼されている

フィンランドは、教師の質がとても高いことで知られています。教師になるには大学院で修士号を取らなければなりません。教育実習期間も、日本の約3～4週間に比べてずっと長く、約15～21週かけて行います。教師は医師と同じくらい尊敬されています。給料は普通の公務員と全く同じですが、人気の職業なのです。

フィンランドの教育制度を長年取材しているジャーナリストの増田ユリヤさんの著書『教育立国フィンランド流 教師の育て方』（岩波書店）によれば、フィンランドがソ連崩壊後から行った教育改革の三本柱は、すべての子どもに「平等の教育」を受ける権利を保障し、その達成のために「現場を信頼」し、「質の高い教員を養成する」ことでした。

「現場を信頼」するというのは、学校や教師に任せる裁量が大きいということです。フィンランドでは、日本の学習指導要領にあたる「ナショナル・コア・カリキュラム」が大まかな学習目標などを示し、各自治体が時間数やカリキュラムを決定し、具体的な教育内容や、どう教えるかは学校と教師に一任されています。

1992年に教科書検定制度を廃止し、どの教科書を使うか決めるのも、学校の先生です。教科書は1冊でもいいし、複数でもいい。フィンランドでは、教科書は教材のひとつと考えられているから、教師の判断で事細かに教えてもいいし、必ずしも教科書を使わなくてもいいのです。教師の裁量に任せる部分が大きいから、現場の教師はその信頼に応えられる人材でないといけない。だから、質の高い教員を育てる必要があるのです。

――フィンランドの義務教育とかその上の学校はどんな制度になっているのでしょう。

はい、フィンランドの教育制度がどうなっているか、基本的なことを説明しておきましょう。まず、小学校入学前の1年間は、小学校や保育所に併設されているプレスクール（就学前教育）で、集団生活に慣れる準備をすることが義務づけられています。

一般的には小学校6年、中学校3年の基礎教育を修了したら、普通科高校か職業訓練校（職業学校）のいずれかを選びます。入学試験はなく、中学の成績で合否が決まります。複数校に出願して成績がよい順に選ばれますが、高校のレベルに大きな差はないそうです。ここまでが義務教育です。２０２１年から義務教育の年齢が18歳まで引き上げられました。中学卒業の段階では知識やスキルが現代社会では十分でないと判断したためです。

そして、もうひとつ、生徒の経済的負担を減らそうというねらいもあってのことです。高校や職業学校は授業料は無料ですが、教材や職業訓練に使う器具・作業着などは自費負担でした。義務教育になれば金銭負担が減り、すべての子どもに「平等な教育」の理念により近づけることになりますよね。さらに、なんらかの理由で高校を中退した場合、義務教育なら必ずほかの学校に入るように親や自治体が支援することになるので、中退を機にドロップアウトしてしまう若者を減らせます。

フィンランドでは、普通科高校に行く＝大学進学を目指す、ということです。高校は大学と同じ単位制で、授業内容は日本より専門的だといいます。1週間の間に何冊も本を読んでレポートを書かなければならない、という大学生並みに忙しいこともあるそうですよ。通常は3年めの春に高校卒業資格検定試験（＝大学入学資格検定試験）を受けて合格したら卒業。そのあと志望する大学の入学試験を経て進学することになります。

一方の職業学校のほうは、日本の商業・農業・工業高校などに当たり、専門的な知識や技術を身につけるため、企業などと連携して学びの場を設けています。職業学校は2〜5年で卒業するのが一般的です。その後、さらに専門的に学ぶ大学レベルの技術専門学校へ進学する選択肢もあります。

――職業学校へ行ったけど普通科高校に入り直したい、とか気持ちが変わった時に変更はできるんですか？

はい、それはできます。職業学校に進んだとしても、高校卒業資格検定試験を受けて大学に進学できます。また、普通科高校と職業学校は単位の互換が可能ですし、大学と技術専門学校についても同様で、学生に柔軟に進路を考える機会が与えられています。

――高校のレベルにあまり差がない、という話ですが、大学はどうなんですか？

フィンランドの大学はすべて国立で、大学のレベルに大きな差はありません。大学によって力を入れている研究分野が違うから、自分が何を学びたいかを基準に大学を選びます。美術や音楽などの芸術系の学部は数が少ないから入学するのが難しいようです。

フィンランドの教育は、誰にでも「平等」であることを大切にしているでしょう。だから、どの大学、どの高校も同じように高いレベルを維持できるよう努力しているわけ。フィンランドには、いわゆる学校ランキングみたいなものがないのです。

日本の教育にフィンランドの影響

塾も激しい受験競争もないのに、フィンランドの学力が高いのはなぜか、と思って、日本から、いろいろ教育視察団が行ったんですね。フィンランドの人があきれてしまってね。「日本から毎年毎年、大勢の視察団が来て、フィンランドはすごいって言って帰りますけど、日本はその後、何か変わったんですか」と言われて耳が痛かったよね、これは。

うわあ、すごいなって感心して、それを日本で実践しようではなく、日本じゃ無理だなと言って、帰ってしまうと。結果的に、フィンランドは日本の視察団を受け入れる時には、お金を払わないと見せてくれないようになったといいます。

でも、フィンランドにしばしば日本の視察団が行った結果、これはフィンランドの教育の影響かなと思われるところが日本の教育に出てきているんですよ。たとえば小学校1年生、2年生が習う生活科という授業。社会科と理科が一緒になって生活科になったでしょう。君たちも生活科の授業を受けた世代だね。

フィンランドに行ってみたら、フィンランドにも同じ授業がありました。日本の生活科でもやっていることだけど、たとえば、学校の回りを観察しようと。学校の校庭にどんな木が生えているのかな、どんな植物なのかなと見たり、あるいは、近くの商店街に行って、どんなお店があるのかを見たりする。そこに行くまでには、道路で横断歩道を渡り、交通ルールを守らなければいけない。さらに、自転車ってどうしてペダルを踏むと進むんだろうかと、自転車の構造を学んでみる。いわば、生活をしながら、身の回りの社会や科学に関すること、生活のために必要なことを勉強するわけですね。

あるいは、小学校の算数の教科書が、子どもたちがピクニックに行くといった、実際の生活で起こりうるような設定で進められています。そこから算数ってなんのために学ぶのか、私たちが生活をするため、生きていくために数学的な思考が必要だということを自然にわからせるように、教科書がつくられているのですね。

基本的に、単なる知識を教えるだけではなく、自分の頭で考えられるような教育をしようと、今、ずいぶん日本の教育が変わってきています。これは実はフィンランドのやり方を学んでいるのですね。

フィンランドって、第1章で話したように、サウナの文化があるでしょう。各学校に必ずサウナがあるのに驚きました。先生たちが、サウナに入るわけですね。また、子どもたちのために、小学校や中学校で校舎の中に、柱の陰に隠れる場所があります。私もなんだろうと思って聞いたら、「子どもたちだって、ひとりになりたいと思う時があるでしょう。子どもたちが身を隠す場所をあえてつくっているんです」と教えられ、はあ、考え方が違うなと思いました。

それと、うまいやり方だなと思ったのが図書館です。私が訪問したところでは、市立図書館と学校図書館を別々にやっているのは無駄でしょうと、ふたつを一体化して、自治体と学校が共同で図書館を運営していましたね。学校の生徒だけが使う時間を決めて、それ以外の時間は市民の誰もが図書館を使えるようにしているのです。実に合理的な考え方をする人たちだと感心しました。

ＰＩＳＡの順位の読み取り方

――ＰＩＳＡの2018年の結果を見ると（左ページ図表⑪）**、フィンランドはどの分野でもトップ5に入ってなくて、順位を落としているのはどうしてですか？**

確かにフィンランドは順位が下がっていますね。これは、中東から移民を大勢受け入れたからだといわれています。中東からの移民の中には、当然、フィンランド語が十分できない子どもたちがいるわけだよね。あるいは、基礎的な教育を受けてこなかった子どもたちもいます。だけど、フィンランドの公立学校がその子たちを受け入れているわけだよね。だから、そういう子どもも一緒に試験をすれば、当然、平均点も下がってしまうわけです。

このＰＩＳＡの結果を見ると、各分野で中国の北京とか上海とか、中国圏がトップになっているでしょう。これはどうしてかというと、本来、このＰＩＳＡのテストって、国家レベルで参加することになっている。だけど、中国は、北京や上海のような教育熱心な都市だけ、特例として参加が認められているのね。だから、中国圏がトップになるのは当たり前なんだよね。もし、中国全体で参加すれば、地方による教育格差がとても大きいから、たぶん、ものすごく順位は下がるでしょう。あくまで国の威信をかけて、都市だけ特例で参加しているから、トップになっているんだということですね。

同じように、香港やシンガポールって、都市国家でしょう。香港は国ではないけれど、シンガポールって、マレーシアから独立したわけだ。日本でいうと、東京23区が日本から独立したみたいなものだよね。そう考えれば、日本全体より東京23区のほうが学力はたぶん上だろう。だから、シンガポールの順位が高いのは、これも当たり前なんだよね。

では、日本はどうかというと、2000年にPISAのテストが始まった時は、日本の順位はトップクラスだったんです。ところが、そのあと日本の順位が下がってきたわけ。ちょうど、「ゆとり教育」（2002年度から施行）が行われていたころで、ゆとり教育をや

図表⑪―**学習到達度調査（PISA）2018年の結果**｜出典：OECD

	読解力		数学的リテラシー		科学的リテラシー	
	国名	平均得点	国名	平均得点	国名	平均得点
1	北京・上海・江蘇・浙江	555	北京・上海・江蘇・浙江	591	北京・上海・江蘇・浙江	590
2	シンガポール	549	シンガポール	569	シンガポール	551
3	マカオ	525	マカオ	558	マカオ	544
4	香港	524	香港	551	エストニア	530
5	エストニア	523	台湾	531	日本	529
6	カナダ	520	日本	527	フィンランド	522
7	フィンランド	520	韓国	526	韓国	519
8	アイルランド	518	エストニア	523	カナダ	518
9	韓国	514	オランダ	519	香港	517
10	ポーランド	512	ポーランド	516	台湾	516

るから順位が下がるんだって、日本で大きな問題になったんですね。だけど、よく結果を見ると、ＰＩＳＡを開始した時に参加していなかった国が入ったこともあって日本は順位を下げたわけね。それなのに、順位だけを見て、ゆとり教育をするからこんなことになったんだ、もっと詰め込み教育をしなければいけないと言い出すわけです。

私は、この時、そういう人たちは数学的リテラシーがないなと思いました。ゆとり教育の問題と順位の理由をしっかり考える必要があるということですね。

その後、日本の教育は、脱ゆとりに方針を変え、再び詰め込み教育になりました。すると、日本のＰＩＳＡの順位が上がるんですね。やっぱり、ゆとり教育をやめたから学力が上がったんだと、当時、新聞やテレビが報道しました。ところが、ＰＩＳＡの試験は15歳の生徒が受けるわけです。日本でいうと高校1年生だよね。学力が上がった時の15歳って、小学校・中学校でゆとり教育を受けていた子どもたちなんだよね。

ゆとり教育を受けていた人たちが、詰め込み教育になった直後に試験を受けた結果、順位が上がったわけだ。当時、詰め込み教育をやったから学力が上がったんだと言われましたが、それは違います。ゆとり教育が目指したのは自ら考える力をつけていくことで、実はそれは成果をあげていたのです。

フィギュアスケートの羽生《はにゅう》結弦《ゆづる》選手や、２０２２年のサッカーワールドカップで奮闘した選手たちは「ゆとり世代」なんだよね。小学校・中学校でゆとり教育を受けた人たちが、今、スポーツの場であれだけ活躍しているわけです。ゆとり教育だからうんぬんというのは当てはまらないということですね。

自分で考える力をつけることを目指したゆとり教育も、フィンランドの教育の影響を感じます。フィンランドの学校や図書館を見て、この国の人たちは合理的に物事を考えるなと実感しました。核ゴミ最終処分場のオンカロにも行って取材し、大変感銘を受けたのですが、その話は第6章で取り上げましょう。

第4章

スウェーデンとデンマーク

——福祉と軍事に独自の観点

北欧＝高福祉を主導したスウェーデン

　スウェーデンとデンマークは、北欧の中軸として歩んできました。ともに大国だった時代があり、スウェーデンはフィンランドを、デンマークはノルウェーとアイスランドを長い間支配していたことを第2章で説明しましたね。現在の北欧諸国の高福祉や男女平等、幸福度が高いといった国の在り方を主導してきたのも、この両国といえるでしょう。

　まず、スウェーデン（左ページ図表⑫）から見ていきましょう。人口が少ない北欧諸国の中で、スウェーデンは1000万人以上いますから、ほかの北欧諸国への影響力が強く、北欧全体をリードする力があるわけですね。それに、スウェーデンは、第二次世界大戦の時に、なんとか中立を維持できて、戦禍を免れました。ノルウェーやデンマークはドイツの侵略を受けて占領された。フィンランドはソ連と戦い、ぼろぼろになったでしょう。

　スウェーデンは戦争をしなかったので、非常に早く経済が復活し、戦後ゆとりのあるところで、社会福祉に力を入れることができました。すると、隣の国がやっぱり張り合うわけです、比較されるからね。

　スウェーデンが社会保障を充実させるのを見て、ノルウェーもデンマークも、復興が遅

図表⑫―**スウェーデン王国基礎データ**｜出典：外務省HP、IMF、スウェーデン政府HP

首都	ストックホルム
面積	約45万平方キロメートル（日本の約1.2倍）
人口	約1045万人（2021年）
言語	スウェーデン語
宗教	キリスト教の福音ルーテル派が多数
政体	立憲君主制
元首	カール16世グスタフ国王
名目GDP	5859億米ドル（世界24位）
一人当たり名目GDP	5万5689米ドル（世界12位）
通貨	スウェーデン・クローナ

ウルフ・クリスターソン

第45代スウェーデン首相
（2022年10月18日～）

1963年12月29日、ルンド生まれ。1991年、国会議員に初当選するも、一時期、政治を離れ民間のマーケティング企業で働く。2002年、政界に復帰。2010年、社会保障大臣、2017年には穏健党の党首となる。2022年9月の総選挙の結果、3党による連立政権が誕生し、穏健党のクリスターソンが首相に任命された。

れたフィンランドにしても、「スウェーデンに追いつけ」と競争することになって、それぞれの国が社会福祉を充実させていく流れができたのです。

スウェーデンは、さまざまな資源にも恵まれています。スカンディナビア半島の北部では鉄鉱石が採れるので、製鉄業が発展しました。また、森に恵まれているので、森林資源を利用した林業や製紙業が盛んです。これらの産業によってスウェーデンの経済が発展し、社会福祉を維持するための高負担を支えてきたわけですね。

――スウェーデンより経済が発展している国はたくさんあると思うのですが、なぜスウェーデンが社会福祉国家になったのですか？

いい質問が出ましたね。それは、社会福祉政策を重視する社会民主労働党（以下社民党）の長期政権が続いたことが大きな要因です。社民党は中道左派、言い換えれば、穏健な左派政党ということになります。１９２０年に単独政権を樹立すると、現在までほとんどの間、単独または連立して政権を担い続けてきました。だから、一貫した政策を継続できたわけですね。

１９２８年に、当時の社民党党首で首相だったペール・アルビン・ハンソンは、「国民の家」というスローガンを掲げました。「スウェーデンという国が、国民にとってのよい家にならなければならない」というもので、１００年近く前から福祉国家を目指していたことがわかります。

社民党政権は、第二次世界大戦の前に、さまざまな福祉政策を企画していました。でも、戦争の間は中断せざるを得なかったでしょう。戦争が終わると、中断していた福祉政策をどんどん実行していきました。１９４６年には国民基礎年金の大幅な引き上げが実施されます。しかし、それだけでは十分な老後資金にならず、１９５９年に国民付加年金法が議会で可決されました。

児童手当制度、家賃補助制度、国民全員が加入する強制健康保険制度なども次々と実行に移され、男女間の格差是正の政策も行われます。１９７１年に課税制度が夫婦単位から個人単位となり、既婚女性の経済的自立が促されるようになります。また１９７４年には両親を対象とした育児休暇制度が導入されました。

さらに教育機会の平等を促進する諸改革も進みました。中等教育の段階から教育補助金が支給されることになり、就学率が大幅に上昇します。社民党政権のもとで、スウェーデンの福祉制度は急速に発展したわけですね。

ほかの北欧諸国はどうだったかというと、政党の名称は違っても、いずれの国も中道左派が政権を担っていたので、スウェーデンと似通った福祉政策が施行されてきました。

デンマークとノルウェーでは、戦後間もなくからスウェーデンの政策を追いかけるように、さまざまな福祉政策が実施されました。

ソ連への賠償金の支払いがあったフィンランドは、福祉政策の実施がほかの北欧諸国より遅れましたが、賠償金を完済すると（1952年）、急ピッチで福祉政策を推し進めました。北欧諸国が次々と福祉政策を進めた1960年代は「黄金の60年代」と評されています。また、経済成長しながら高度な福祉を実現させる社会システムは「北欧モデル」と呼ばれ、一躍世界の注目を集めるようになったのです。

高福祉の弊害とリスキリング

スウェーデンは、理想の高福祉社会を築いていいことだらけかというと、弊害もあるんです。失業しても失業保険をもらえるし、働かなくても生活保護で暮らせる。それに、年金も十分もらえる。だったら働かなくてもいいや、という人が出てくるわけだよね。

スウェーデンは、1980年代から90年代、高福祉高負担の結果、経済成長率が落ちてしまいました。90年代初頭には、バブル崩壊とソ連崩壊の影響を受けて経済危機に陥りました。そこで、スウェーデン政府は改革に乗り出し、たとえば、企業経営がうまくいかなくなったら、その企業を国は助けませんよ、競争でどんどん会社が潰れてもいいですよ、それによって失業してしまっても構いませんよ、という意外な対応をしました。

これは、どういうことか？　日本の場合は、どこかの企業が潰れそうになると、補助金を出すことがあります。特に、２０２０年からのコロナ禍で、経済的に厳しい状況になった日本の中小企業がいっぱいあるわけだよね。国はたくさんのお金を出して、融資が簡単にできるようにしました。「ゼロゼロ融資」というのですが、担保がなくてもお金を貸してくれるし、利子は取りませんよという仕組みで、コロナ禍にもかかわらず、日本の企業は倒産が少なかったのです。

スウェーデンはそれをやらない。競争に負けた会社は市場から撤退してもらう。国は日本のようには面倒を見ません。だけど、クビになった失業者に対しては失業保険であるとか、ほかの支援を手厚くやりますよという方法に変えたのです。資本主義の「競争」は維持しつつ、社会主義の「公平な分配」もちゃんとやる、という解決法です。その結果、スウェーデンは再び経済が発展するようになってきたというところがあるんですね。

日本の場合、さまざまな労働関係の法律に守られていて、社員を簡単に解雇することはできません。意外かもしれませんが、スウェーデンやデンマークでは、会社の都合で簡単に社員を解雇できます。ただし、失業しても、別の企業に就職できるようなスキルや知識を習得する教育を、無料で受けられる仕組みになっているのです。クビを言い渡されても、また別の会社で働けるようにしましょうと、そっちの支援を手厚くやっています。

――失業保険のほかに、どんな支援をしているんですか？

「リスキリング（Reskilling）」という言葉を聞いたことがありますか？　新しい職業または新たに必要となる業務・業種に就くために、必要なスキルや知識を習得することで、日本では一般に企業が主体となって行う場合に使われる用語です。近年では、特にＩＴの分野で仕事の伸張が著しいので、新しいスキル習得が求められているでしょう。スウェーデンは国の成長戦略としてＩＴ、医療、バイオ分野に力を入れています。これらの分野の教育プログラムが多数用意されていて、失業者は無料で受講できるのです。もちろん、就労支援や起業支援も充実しています。

リスキングと似た言葉で「リカレント（recurrent）」がありますが、直訳すると「再発する」という意味ですね。個人が必要と思うタイミングで就労と学習を繰り返し、仕事で求められる能力を磨き続けていくことを指します。リカレントの場合、学習する際は会社を休職または退職してから大学やビジネススクールに行って勉強するイメージです。

こういった用語は、新卒一括採用、終身雇用が長く続いてきた日本では、あまり知られていませんでしたが、技術革新が急速に進む中で、新しい知識とスキルを持つ人材の育成法として関心が高まっています。

まあ、日本の場合は、とにかく会社が社員をなるべくクビにしないように、雇用を守ることを重視しているわけだよね。日本はこの30年間、平均所得が全然上がっていません。それに対して、ほかの国は平均所得が上がっている。何が違うのか？

たとえば、アメリカの顕著な例だと、ツイッター社を買収したイーロン・マスク氏が同社のCEO（最高経営責任者）になったら、すぐに半分の人をクビにしたでしょう。だけど、ハードな労働を了承して残った社員にはものすごく高い給料をあげますよということにしたので、平均所得が上がるわけだよね。だけど、失業率も非常に高い。日本の場合は社員のクビを切らないけれど、結果的に平均所得が上がらないというかたちになっているわけです。

どっちがいいのか、いや、どっちも駄目なのかと考えさせられますが、北欧諸国はその中間といえるでしょう。アメリカと同じように簡単に社員を解雇できるけれど、クビになった人を手厚くケアしてあげますよというのが北欧のやり方なのです。

――スウェーデンは、2022年秋に右派連合の政権に代わりましたが、高福祉を維持する政策は変わらないのですか？

はい。前回の総選挙で、反移民を掲げるスウェーデン民主党が躍進し、穏健党などと合わせて右派勢力が僅差で過半数を制し、右派連合の政権に交代しました。右派といっても中道右派、穏健な右派ですね。

右派の支持が伸びたのは、ウクライナ戦争とエネルギー価格高騰の影響で経済が停滞し、移民やEU（ヨーロッパ連合）のグローバリズムへの嫌悪がブルーカラーを中心に広まったためです。移民に寛容なスウェーデンでも自国第一と考える人が増えているんですね。高福祉の維持に変わりはありませんが、移民の受け入れ人数を減らすなど、移民政策の見直しはあるでしょう。

高い税金をなぜ容認できるのか？

北欧は「高福祉高負担」ということで、税金が高いことで有名ですね。北欧諸国の消費税（付加価値税）は、国によって若干差がありますが、現在24～25％です。スウェーデンの場合、消費税は25％、食料品消費税が12％です。デンマークを除き、日常生活に欠かせない食料品や医薬品、書籍、子ども用品などに対しては軽減税率を適用しています。また、所得税、住民税や社会保険料などの税負担を合計した国民負担率は50％以上で60％を超える国もあります。つまり、北欧の人たちは、所得の大部分を税金として納めているのです。

日本はそれに比較すると、「中福祉低負担」といっていいでしょう。消費税10％を見ても、北欧諸国に比べれば、負担は軽い。だけど、そこそこ社会保障の年金制度もあり、高福祉ではないけど、アメリカほど低福祉でもない。中福祉で負担が比較的軽い。国民の負担が軽い分、国の借金がどんどん増えているという構造になっているんですね。

OECD（経済協力開発機構）が、日本が今の福祉を維持するためには消費税を26％にする必要があると、日本に提言しています。だけど、日本はやらないでしょう。26％の消費税なんて冗談じゃないっていう話になるでしょう。

――北欧の人たちは、高い税率のことをどう思っているのですか？ 積極的にいいと思っているのか、仕方ないと思っているのか気になります。

デンマークの首都コペンハーゲンで、高い税金について街頭インタビューしたことがあります。「消費税25％って高すぎないですか？」と聞いたのですが、誰も高いって言わなかったんです。「いやあ、だって、医療費は無料、教育費も無料。税金を払っているだけの見返りがあるんだから、決して高くないですよ」と言うのです。

北欧の人たちは「高い福祉を得るのなら、それなりの負担があるのは当たり前」と考えています。こういうふうに考えられるかどうか、ということですよね。

日本人はどちらかというとお金を使わないで、貯金する人が多いでしょう。どうしてか？老後が不安だからだよね。かつて、きんさん・ぎんさんという100歳の双子が、ものすごい人気になって、CMなどで高額の出演料をもらったのね。で、このお金はどうするんですかと聞いたら、ふたりが「老後のためにとっておきます」と言ったというんだよね(笑)。それくらい年を取っても、お金のことが不安なわけです。今は70歳以上の高齢者の医療費は自己負担2割（一般所得者の場合）だけど、それを3割にしようという動きが出ています。不安になるよね。

北欧の人たちは、年金はちゃんと出るし、教育費も医療費もかからないから、貯金する必要がないと思っている。いわば、「国に貯金している」という考え方をしている。そこが大きな違いだよね。

またデンマークの話になるんだけど、じゃあ、どうやってその医療費が無料になっているのかというと、誰でも必ず地元にかかりつけのお医者さんがいて、何かあったら、まずかかりつけ医に行くわけね。大学病院や大手の病院にいきなり行くことはできない仕組みになっています。

以前、デンマークで、ちょうどその様子を取材したのですが、前の日に庭木を切って体じゅうのあちこちが痛いと、かかりつけ医のところに来た人がいました。お医者さんは「単なる過労で筋肉痛ですね、家に帰って寝てなさい」と、それでおしまいね。日本だったら、たぶん痛み止めや塗り薬を処方するでしょう。風邪をひいてかかりつけ医に行っても「風邪ですね、家で寝てなさい」と、同じように薬を出してくれません。だから、医療費が安くて済むわけですね。

さらに言うと、「風邪で寝ています」と休むのを社会が認めているわけです。風邪ぐらいで休むとはなんだ、仕事に出てこいとは言いません。そういう社会だから、別に家で寝ていれば治るということになる。かかりつけ医が診察して、専門医に診てもらわなければいけないという段階で、初めて紹介状を書いてもらって、大病院にかかることができる仕組みになっているのです。

今、日本もそれを取り入れようとしているわけです。大学病院に紹介状を持って行けば、普通に3割負担で診てもらえますが、２０２２年10月から、紹介状なしにいきなり大学病院などに行くと、初診料が７０００円以上に引き上げられました。つまり、いきなり大学病院のような大きい病院に行かないでかかりつけ医のところに行ってください、というやり方に、日本も変えようとしているのです。

でも、日本では、薬を欲しがる人が多いでしょう。お医者さんのところに行って、家で寝てればいいですって言われたら、何もしてくれないのかと不満に思う人が多いのではないかな。結局、単なるシステムだけではなく、国民の意識を変えていかないと、なかなか高福祉社会になっていかないのです。

武装中立から平和国家へ

次に、スウェーデンの軍事に目を向けてみましょう。第2章で説明したように、スウェーデンは、ナポレオン戦争などの度重なる敗戦に懲りて、戦争に関与しないという「中立政策」を、200年近くにわたって続けてきました。第二次世界大戦でも、ドイツやソ連から侵略を受けることなく、中立の立場を保つことができました。

スウェーデンは、第一次世界大戦を前に列強間の対立が激しくなると、国防の増強に迫られました。そして、第二次世界大戦で、ノルウェー、デンマーク、フィンランドが他国によって蹂躙《じゅうりん》されるのを見て、中立を維持するためには軍事力が必要であると考え「武装中立」というやり方をとるようになります。なんとなく中立と聞くと、平和な国ですよ、武力を持ちませんよというイメージを私たちは持ってしまいますが、スウェーデンは武装中立国なのです。実は、ヨーロッパには、ほかにも武装中立で有名な国がありますね。

Q スウェーデンと同じように武装中立の立場をとるヨーロッパの国はどこ

でしょう？

——スイスです。

正解です。スイスといえば「永世中立国」が代名詞ですね。永世中立国とは、永久にほかの国の戦争に関与せず、国家の独立と領土の安全を国際的に保障されている国です。スイスは、1815年のウィーン会議で永世中立国と認められました。

スイスは、第一次世界大戦でも第二次世界大戦でも一切戦争に加わりませんでした。でも、スイスは第二次世界大戦中、ほかの国の戦闘機がたまたまスイスの領空に入ったりすると、有無を言わせず、それを撃墜しました。スイスにちょっとでも近づくと、えらい目に遭うことを周りの国に見せることによって、スイスは中立を保ったのです。

さらに、第二次世界大戦中にヨーロッパの国々はドイツに侵略されて苦しみましたが、スイスは知らん顔をしていました。その結果、スイスは今に至るまで、ヨーロッパで評判が悪いのです。日本では、スイスって政治的に中立で美しい国、というものすごくいいイメージがあるでしょう。ヨーロッパの国々へ行って取材していると、スイスに対する嫌悪感や反感はすごいなと感じます。スイスは自分の国さえよければいいのだろうと、そういうふうに思われているのです。

スウェーデンも中立を保ったことによって、周りの国から反感を持たれるわけです。それで、スウェーデンは中立の立場だからこそ、「平和国家」として、さまざまな紛争を解決するために協力しようという方針を打ち出します。

たとえば、日本と関わりがある事例だと、北朝鮮との交渉役です。２０１４年のことですが、日本は、北朝鮮にいる拉致被害者をなんとしても取り戻したい。しかし、北朝鮮は、もう拉致被害者の問題は解決済みと言っている。なんとかもう一度調べさせたいという時に、スウェーデンが間に入ってくれて、ストックホルムで日本と北朝鮮が交渉し、北朝鮮が拉致被害者についてもう一度調査をしますよと約束しました（ストックホルム合意）。

しかし、その後、北朝鮮がミサイルの発射実験や核実験を行い、日本が経済制裁をしたことによって北朝鮮が怒り、「もう拉致被害者のことは調べない」と、再調査せずに終わってしまったのです。非常に残念でしたが、少なくとも、そういうふうに仲介をすることをスウェーデンはやってきたということですね。

スウェーデンにしてみれば、ただの武装中立だと、スイスみたいに周りから嫌われる。そうではなく、さまざまな世界の紛争を少しでも解決するために協力しようという姿勢を見せているわけですね。そういった取り組みの一環として、１９６６年に創設されたストックホルム国際平和研究所があります（左ページ図表⑬）。同研究所は国際情勢や軍事・安全保障上の問題を研究・分析して、毎年、世界に向けてイヤーブックを発行しています。

図表⑬—**ストックホルム国際平和研究所** | 出典：SIPRI

ストックホルム国際平和研究所(SIPRI)は、紛争、軍備、軍備管理、軍縮などに関する研究を行う独立した国際機関。各国が公開する資料に基づくデータや分析結果などを研究者、メディア、また一般の人々に提供している。世界で最も信頼されるシンクタンクのひとつとしてランク付けされている

設立年	1966年。スウェーデンの平和が150年間続いたことを記念してスウェーデン議会が設立
目的・活動	・安全保障、紛争、平和に関する研究および活動 ・政策分析と提言 ・対話の促進および能力開発 ・透明性と説明責任を促進する ・世界の人々に権威ある情報を提供する
資金	大部分はスウェーデン議会からの助成金。他組織からの財政支援も
組織・構成	理事会をはじめ研究所の所長、研究員(サポートスタッフ含め総勢約100人)、科学諮問委員会は国外からの専門家を加えた国際的な構成となっている

『SIPRIイヤーブック』

同研究所が毎年発行する年鑑。直近1年の国際情勢や軍事・安全保障上の主な出来事、問題を反映している。最新版と過去の版とを併せて参照すれば、年を追っての変化をより明らかに把握することができるため、世界的に活用されている

同時に、スウェーデンは、自分たちが使うさまざまな兵器、武器を自国でつくれるようにして、軍需産業を発展させました。

スウェーデンといえば、自動車のボルボ（VOLVO）が有名ですけど、サーブ（SAAB）という自動車もスウェーデンの名門ブランドとして人気がありました。サーブはもともと航空機・軍需品メーカーで、2011年に自動車製造を終了して、武器製造を発展させてきました。現在では、スウェーデンで最大の武器製造会社になっています（写真⑥）。スウェーデンは独自にジェット戦闘機をつくり、輸出もしています。実は武器生産大国であると同時に、武器輸出大国になっているのです。

写真⑥―サーブ社製の戦闘機｜写真提供：AFP＝時事

ＮＡＴＯ加盟とクルド人問題

ロシアによるウクライナ軍事侵攻を見て、フィンランドとスウェーデンがＮＡＴＯに入りたいと手を挙げました。ＮＡＴＯに入るためにはＮＡＴＯに加盟するすべての国が賛成しなければなりません。当時、ＮＡＴＯには30か国が加盟していて、トルコもＮＡＴＯに入っていますね。そのトルコがフィンランドとスウェーデンの加盟に反対し、テロリストとして指名手配されているクルド人を引き渡せと言って、両国は非常に困りました。

なぜ、フィンランドとスウェーデンが困ったのか、説明しましょう。トルコには、クルド人という民族がいます。クルド人というのは、現在、国を持たない世界最大の民族といわれています。ざっと３０００万人のクルド人がいるんですね。彼らはオスマン帝国時代にクルディスタン（クルド人の土地）というところにいた人たちですが、オスマン帝国が滅ぼされたあと、周りの国々がクルディスタンに勝手に国境を引いてしまったんです。結果的に、クルド人はイラク、イラン、トルコ、シリアなどに分断されてしまって、それぞれの国の中では少数民族になってしまいました。分割されても、クルド人はみんなクルド語を話し、大半はイスラム教スンニ派です。彼らには、言葉も、宗教も、文化も同じクルド人の国をつくりたいという思いがあるわけだよね。

１９８０年代には「クルド労働者党（ＰＫＫ）」がトルコ国内で武装闘争を開始し、クルド人国家の分離独立を目指しましたが果たせず、死者は4万人にも上りました。その結果、トルコ政府は、クルド人を「トルコを脅かすテロリスト集団」と見なすことになりました。

そして現在に至るまで、トルコは独立運動をするクルド人たちを徹底的に弾圧してきたのです。独立運動をするクルド人はテロリストの烙印を押されて、捕まえられます。なので、大勢のクルド人が人権を重視する北欧に逃げて来ました。特にスウェーデンに多く、ロイター通信によれば、約10万人のクルド系住民がいるといいます。

トルコがフィンランドとスウェーデンの加盟に反対したのは、両国にＰＫＫのコミュニティがあるからで、トルコはＰＫＫの活動家をトルコに送還するように要求しました。両国は、ＮＡＴＯに加盟するためにトルコの要求を呑むのか、断るのか、頭を痛めることになったのです。

ところが、わずか1か月半で、トルコが一転、両国のＮＡＴＯ加盟を支持します。加盟を急ぎたい両国が、トルコに譲歩したからです。両国は、トルコから武装組織の容疑者の引き渡しに関する法的枠組みを整備することに同意しました。また、トルコが人権侵害などを行っているからという理由で、トルコへの武器の輸出を止めていましたが、制限を解除し、スウェーデンはトルコへのさまざまな兵器の輸出を再開しました。

これで一件落着かと思われましたが、2023年1月、反イスラム、移民排斥などを訴えるスウェーデンの極右団体が首都ストックホルムでデモを行い、トルコ大使館の前で、イスラム教の啓典コーランに火をつけました。イスラム教徒が大半を占めるトルコは、この行為を強く非難し、スウェーデンのNATO加盟への態度を硬化させます。

スウェーデン政府は、国内の反イスラム的な挑発行為を非難し、イスラム教への憎悪をあおる行為に反対する立場を表明しましたが、トルコのエルドアン大統領はフィンランドの加盟だけを承認する方針を示しました。それに対して、スウェーデンとフィンランドの首相がそろって会見し、両国の同時加盟を訴えました。しかし、その願いは叶わず、2023年4月、フィンランドのみが先に正式加盟となりました。

デンマークはなぜ酪農大国になったのか

今度は、デンマーク（P146図表⑭）の話をしましょう。デンマークは地図で見ると、ユトランド半島の北側の小さい国で、九州よりも少し大きいくらいです。しかし、かつては

図表⑭―**デンマーク王国基礎データ**｜出典：外務省HP、IMF、デンマーク政府HP

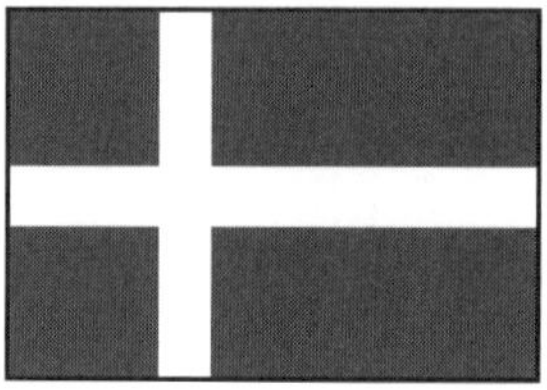

首都	コペンハーゲン
面積	約4.3万平方キロメートル（フェロー諸島およびグリーンランドを除く）
人口	約581万人（2019年）
言語	デンマーク語
宗教	キリスト教の福音ルーテル派（国教）
政体	立憲君主制
元首	マルグレーテ2世女王
名目GDP	3906億米ドル（世界40位）
一人当たり名目GDP	6万6516米ドル（世界9位）
通貨	デンマーク・クローネ

メッテ・フレデリクセン

第42代デンマーク首相
（2019年6月27日〜）

1977年11月19日、オールボー生まれ。2001年、国会議員に初当選。2011年の総選挙で社会民主党が勝利し、雇用大臣に就任。その後、法務大臣に。2015年、社会民主党代表となる。2019年の総選挙で与党自由党の敗北により、連立与党のフレデリクセンが首相に指名された。デンマーク史上最年少（当時41歳）での首相就任で、同国2人めの女性首相となった。

半島の根元の南側（現在はドイツ領）も領土とし、スウェーデン、ノルウェーを支配下に置く北欧の大国でした。ところが、19世紀にドイツを統一したプロイセンとの戦いに敗れて、領土の約40％を失い、小国に転落してしまいました。第2章でその話をしましたね（P79）。

Q 小国に転落したデンマークは、そのあとどうしましたか？

――残された国土を豊かにすればいいと考えて、酪農を中心とする農業国になりました。

はい、そのとおりですね。デンマークは、失った領土を取り戻して再び大国を目指すのではなく、残された領土を開発して豊かになろうという「小国主義」の道を選びました。

地図を見ると、ユトランド半島の西側に北海があるから、デンマークはすごく寒いように思うでしょう。実は、北大西洋海流というメキシコ湾からアメリカとカナダの沿岸を通過し、スカンディナビア半島沿岸まで流れる巨大な暖流があって、緯度は日本の北海道よりずっと北になるのですが、気候は温暖です。

そして、デンマークというのはとにかく平地ばかりなんですね。この国では、どこへ行っても、自転車利用者が多いのに驚きます。道路も自転車が走りやすいように整備されていて、車道と歩道の間には自転車専用道路があります。しかも、ハイスピードで走るレーンと低速で走るレーンの二車線が設けられているんです。朝の通勤時間帯には、ものすごい数の自転車が専用レーンを駆け抜けていきます。国会議事堂の前にも、巨大な駐輪場がありました。国会議員もみんな自転車通勤なんですね。車で送り迎えされているのは、首相と主要閣僚などごく一部の人だけ。その様子を見ると、税金を無駄遣いせずに、ちゃんと仕事をしてくれているんだな、という信頼感も生まれてきます。

デンマークは、気候温暖で平坦なのを生かして、酪農・農業で成功したわけですね。とはいえ、領土を半分近く失ってから、デンマークの人たちは本当によくがんばったんです。デンマークがドイツ（当時のプロイセン）に取られたユトランド半島の南部は肥沃でしたが、北部は沼地と原野が広がる不毛の地でした。未開拓地に植林し、豊かな農産物を育む土壌をつくるのに、大変苦労したのです。

――デンマークは、なぜ農産物より酪農が盛んになったのですか？

デンマークが農業国へ舵を切った頃、北海をはさんで隣国となるイギリスは繁栄していました。デンマークは、イギリスに向けての食料の生産・輸出を担うことにしたのです。しかし、当時、小麦などの穀物は、アメリカから蒸気船で大量にヨーロッパへ輸出されていました。そこで、デンマークは穀物より酪農・畜産に力を入れて、バターやチーズ、ベーコンなど、イギリスで消費量の多い食品を生産するようになったのです。

デンマークが「外で失ったものは内で取り戻そう」をスローガンに、敗戦から立ち直って酪農・農業王国を築いた話を、キリスト教思想家の内村鑑三《うちむらかんぞう》が1911(明治44)年に日本の講演で紹介し、のちに『デンマルク国の話』という題名で文章化しました。軍国主義の戦前には無視されたようですが、第二次世界大戦後に、日本が平和的に復興する見本として語られるようになりました。

さらに、北海道の酪農のルーツもデンマークにあるのです。1923(大正12)年、北海道庁はデンマークやドイツから農業を営む4家族を5年契約で招きました。彼らは札幌近郊と十勝地区の未開墾地で、母国と同じような酪農業を実践し、北海道の酪農のモデルとなったのです。

「デンマーク・ショック」とは?

デンマークは農家一戸あたりの農地の面積が広くて、日本の20倍以上あります。となると、当然効率がいいわけでしょう。一軒の農家で300人養える分の食料を生産するといいます。あるいは、日本にもありますけど、協同組合形式という高度に組織化・効率化された方法で、協力をして農業をしていく仕組みによって、デンマークは農業が非常に発展したのです。

そして、発展の背景には、実はＥＵに入っていることが大きいんですね。デンマークは１９７３年に、北欧で最初にＥＵの前身であるＥＣ（ヨーロッパ共同体）に加盟しました。加盟している国の間では、関税がかかりません。デンマークでつくったものをいくらでも自由に輸出することができます。デンマークは、農産物を陸続きでドイツに輸送できるし、北海を渡ればイギリスも近い。農業生産性が極めて高く、地の利もあって、ＥＣに加盟して以来、乳製品などさまざまな製品を周りの国に輸出して、経済成長できたのです。

１９９２年２月に、「マーストリヒト条約」によってＥＵへの移行が決定し、あとは全加盟国が批准・調印すればよい、という段階になった時、デンマークは、国民投票で批准を否決してしまいます。これがＥＣ加盟国に大きな衝撃を与え、「デンマーク・ショック」と呼ばれました。

マーストリヒト条約は、経済・通商に関する組織だったＥＣをＥＵに発展させ、単一通貨となるユーロの創設や、外交・軍事など政治的な統合も目指そうという内容でした。デンマーク国民は経済的利益を期待していましたが、政治的な統合強化を望んでいませんでした。小国である自国の主権や文化が脅かされるのではないかという不安から、批准を否決する事態となったのです。この結果を受けて、同年暮れの欧州理事会で、デンマークにはヨーロッパ内の安全保障への関わりなどについて適用除外を認めることになりました。翌年、再度行われたデンマークの国民投票では加盟賛成が過半数となり、ＥＵが誕生しました。デンマークは小国ながら、ＥＵ内で存在感を示したのです。

では、北欧のほかの国々とＥＵの関係はどうかというと、ノルウェーは、デンマークとともにＥＣに加盟申請をしようとしたのですが、国民投票で加盟が否決されました。その後、１９９０年代に再び加盟申請しようとするのですが、またもや国民投票で否決されます。アイスランドも２００９年に一時、ＥＵへの加盟申請をしましたが、その後取り下げています。これについては、次の章で詳しく説明しましょう。フィンランドとスウェーデンは、中立政策との整合性からＥＣ加盟をずっとしないできましたが、ソ連崩壊後の１９９５年にＥＵ加盟を果たしました。

そして、２０２２年、ロシアのウクライナ侵攻によって、デンマークで大きな変化がありました。デンマークは同年6月に国民投票を行い、「ヨーロッパ内の防衛・安全保障に関わらなくてよい」というＥＵ内でデンマークのみに与えられてきた特権を自ら放棄することを決めたのです。デンマークだけが第三者として傍観していることは許されない、と国民自らが判断したのです。

ＥＵは、この投票結果を歓迎しました。北欧では、ロシアの軍事侵攻によって、スウェーデンとフィンランドのＮＡＴＯ加盟申請だけでなく、各国が従来の安全保障政策を見直すことになったのです。

ディズニーもアンデルセンも訪れた遊園地

デンマークの首都コペンハーゲンにはチボリ公園（左ページ写真⑦）という、とても古い遊園地があります。１８４３年に、時の国王クリスチャン８世からこの土地を借り受けたゲオ・カーステンセンが「階級の差なく市民の誰もが楽しめる場所」として開園させました。

ウォルト・ディズニー（１９０１〜６６年）は、このチボリ公園に刺激を受けてディズニーランドをつくったといわれています。私もコペンハーゲンに行った時、まず、チボリ公園に行ってみましたが、チボリ公園って、子どものための遊び場が多いのです。だから、家族連れで行くと、子どもを遊ばせて、親はそれを見ていることになる。ディズニーは、親も一緒に楽しめるような公園をつくるといいのではないかと考えて、アメリカでディズニーランドをつくったといわれていますね。

『人魚姫』などで有名な童話作家ハンス・クリスチャン・アンデルセン（１８０５〜７５年）も、しばしばこの公園を訪れて、物語の構想を練ったといわれています。コペンハーゲンの海岸のところに人魚姫の像があるんですけど、実は「世界三大がっかり名所」というのがあります。デンマークの人魚姫とシンガポールのマーライオンとベルギーの首都ブリュッセルの小便小僧。

なぜ「三大がっかり名所」かというと、この三つの像はとても有名なのだけれど、いざ現地に行ってみると、「えっ、こんなに小さいの？」と見栄えがしなくてがっかりするから、という理由なんですね。マーライオンは、あまりに小さいと評判が悪かったものだから、近くのセントーサ島に巨大なマーライオン像をつくりました（笑）。でも、２０１９年に、島の再開発のために取り壊されてしまうことになったんですよ。まあ、政府公認のマーライオンはあと6体あるそうですから、

写真⑦―コペンハーゲンにあるチボリ公園のエントランス｜写真提供：Alamy / PPS通信社

観光には大丈夫ですね（笑）。

ベルギーの小便小僧も名所としてすごく有名なものだから、行った時に探したのですが、知らないうちに行き過ぎてしまって、やっと見つけたら、これも小さくてびっくりしましたね。ちなみに小便小僧って本当に水のおしっこをしてるんだけど、年に1度、ビール祭りがあるわけね。その時だけ、あの水がビールに変わることがあるそうで……。リアルでしょう（笑）。

そして、デンマークの人魚姫ですね。とにかく行ってみてあまりに小さいから驚くのですが、最初に行った時に本当にがっかりしたのは、その時ちょうど上海《シャンハイ》万博の最中で人魚姫が上海に貸し出されていて、なかったのです。その場所で、上海万博の会場から生中継の映像が見られるようになっていたのですが二重にがっかりしましたね（笑）。次に行った時にはちゃんと戻ってましたけどね。これが、まあ、世界三大がっかり名所というわけです。

また、話が脱線しますけど、デニッシュっていうパンがあるでしょう。デニッシュは「デンマークの」という意味ですが、そのデンマークではオーストリアのウィーンで発祥したと伝えられているようです。その由来ははっきりしませんが、パン生地にバターをたっぷり折り込んだデニッシュパンを広島のタカキベーカリーの創業者高木俊介氏がデンマークで食べて、これはおいしい、日本でもつくろうと思ったんだよね。それで、日本に帰って〝デニッシュペストリー〟として売るようになり、やがて、広島で「アンデルセン」という、デンマークの有名な童話作家の名前をつけたベーカリーとレストランのお店を開いたわけですね。

そして、ついにそれが本場のデンマークのコペンハーゲンに進出したのです。チボリ公園の近くにあったお店（現在は移転営業）で、デニッシュを食べてみましたが、デンマークのデニッシュよりおいしかったです（笑）。デンマークで人気のお店のデニッシュパンが実は日本のパン屋さんがつくったパンだという話ですね。

トランプ前大統領が買収しようとしたグリーンランド

忘れられがちなんですけど、北米大陸の東北にある世界最大の島グリーンランドは、デンマークの自治領です。日本の約6倍の面積があり、人口は約5万5000人です。自治領というのは、ある国家の領土の一部だけれども、広範囲の自治が認められている領域のことを指します。グリーンランドはデンマークからかなり離れているのに、なぜデンマーク領なのか？　誰かわかる人、説明してくれますか。

――もともとはノルウェー領だったのですが、14世紀末のカルマル同盟によって、デンマークの領土になりました。

はい、そうですね。カルマル同盟は、第2章で出てきたよね。その当時はデンマークが強国で、スウェーデンとノルウェーの3か国で同君連合になることにしました。実質的にデンマークがあとの2国を支配する構図になった。それで、ノルウェー領だったグリーンランドは、デンマーク領になったのです。

グリーンランドは現在もデンマークの一部ですが、2009年にグリーンランド自治政府法が成立し、グリーンランドにのみ関わる事項やグリーンランドが権利を有する分野では、外国政府や国際機関と交渉し合意を結ぶ権限を持っています。

ところで、島の名前はグリーンランドで「緑の島」ですが、ほとんど北極圏に位置するから、地表の8割以上が雪と氷で覆われて本来は「白の島」なわけだよね。これは、そもそもこの島を発見したヴァイキングが、夏場だったのか、緑の草原があるのを見てグリーンランドと名付けたといわれています(諸説あり)。

この島を領土にしたデンマークにしてみれば、都合のいい名前です。グリーンランドという名前の島なら、移住したい、開発したいと思う人が出てきますが、ホワイトランドという名前だったら、来ないでしょう。それで、グリーンランドという名前をそのまま使ったということですね。実際には夏場は確かにグリーンのところもありますが、冬場はひたすら雪と氷に閉ざされています。

　ところが、温暖化が進んだことによって、北極の氷がどんどん減ってきているでしょう。夏場はかなり氷がなくなって、さらに、北極の海底にはさまざまな資源があるといわれていますよね。温暖化によって北極の海底の資源を取ることができるんじゃないかとなった結果、北極の海底はどこの国のものなのかということが大きな問題になってきました。ロシアが海底探査を進め、かなり海底にロシアの国旗を打ち込んでいる。すると、ロシアのものになってしまってはいけないと、カナダが突然、北極圏に面した基地を増強するなど、北極をめぐって各国の新たな紛争が起き始めているのです。

　２０１９年のことですが、トランプ大統領（当時）がグリーンランドを買い上げたいと言いだしました。というのも、あのあたりにかなり中国船が出没するようになってきたのです。中国がグリーンランドに投資することによって、グリーンランドにおける中国の影響力を高めようとしている、というのです。どういうことか？　中国はグリーンランドの空港建設に協力しようとしたり、鉱山の開発に乗り出そうとしたりしました。それに対して、トランプが脅威を感じて、グリーンランドをアメリカが買い上げればいいじゃないかと思った、というわけです。

かつてアメリカはアラスカを買いました。お金を出して領土を買うことはあるわけだから、グリーンランドを買えばいいと言ったことに対して、デンマークは呆れて取り合わなかったということがありましたね。トランプが大統領じゃなくなったら、グリーンランドを買い上げるという話は立ち消えになりましたが。

でも、北米大陸に近いグリーンランドが親中国に傾くのはアメリカにとって許せないことです。日本からは遠いグリーンランドですが、今、この島では米中の地政学的な駆け引きが続いているのです。

第5章
ノルウェーと アイスランド
——EUに加盟せず、国際平和へ貢献

EUに加盟していないノルウェー

ノルウェー（左ページ図表⑮）はスカンディナビア半島の西側にあり、日本とほぼ同じ面積で、東はスウェーデン、北東はフィンランド、そして地図をよく見るとロシアとも国境を接しています。ノルウェーの魅力を語るうえで欠かせないのがフィヨルドでしょう。フィヨルドは、氷河による侵食作用によってできる複雑な地形の湾や入り江のこと。ノルウェーの西海岸のほぼ全域に広がり、世界最大規模を誇ります。

国土の北半分が北極圏内にありますが、西は北海に面し、暖流のおかげで冬でも凍結しない不凍港があるため、漁業が盛んです。水産分野では生産・輸出ともに世界トップレベルです。またノルウェーは、日本と同様、今も捕鯨をしている数少ない国のひとつです。夏になると、西岸のフィヨルド内にミンククジラが回遊してくるので、古くから沿岸地域で漁師がクジラの捕獲をしてきました。

EU加盟国の地図を見てください（P162図表⑯）。ノルウェーはEUに加盟していませんね。ノルウェーでは、過去に2回EU加盟の是非を問う国民投票が行われ、2回とも否決されたのです。1972年は、反対53・5％、賛成46・5％（当時は欧州共同体＝EC）、

図表⑮―**ノルウェー王国基礎データ**｜出典：外務省HP、IMF、ノルウェー政府HP

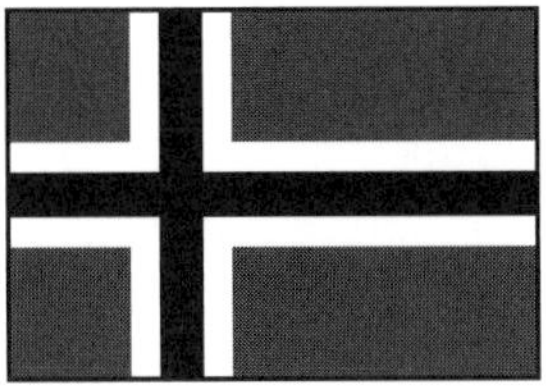

首都	オスロ
面積	約38.6万平方キロメートル（日本とほぼ同じ）
人口	約542万1000人（2021年）
言語	ノルウェー語
宗教	キリスト教の福音ルーテル派が大多数を占める
政体	立憲君主制
元首	ハラルド5世国王
名目GDP	5792億米ドル（世界26位）
一人当たり名目GDP	10万6328米ドル（世界2位）
通貨	ノルウェー・クローネ

ヨナス＝ガール・ストーレ

第44代ノルウェー首相
（2021年10月14日～）

1960年8月25日、オスロ生まれ。1989年、ストルテンベルグ政権において、首相官邸の特別顧問に就任。2000年からは首席補佐官を務める。2005年以降、外務大臣、保健医療サービス大臣を歴任。2009年の総選挙で国会議員に当選し、2014年に労働党の党首に就任。2021年の総選挙で与党の中道右派連合が敗北し、中道左派連合のストーレが首相に就任した。

図表⑯—**北欧5か国の加盟状況**

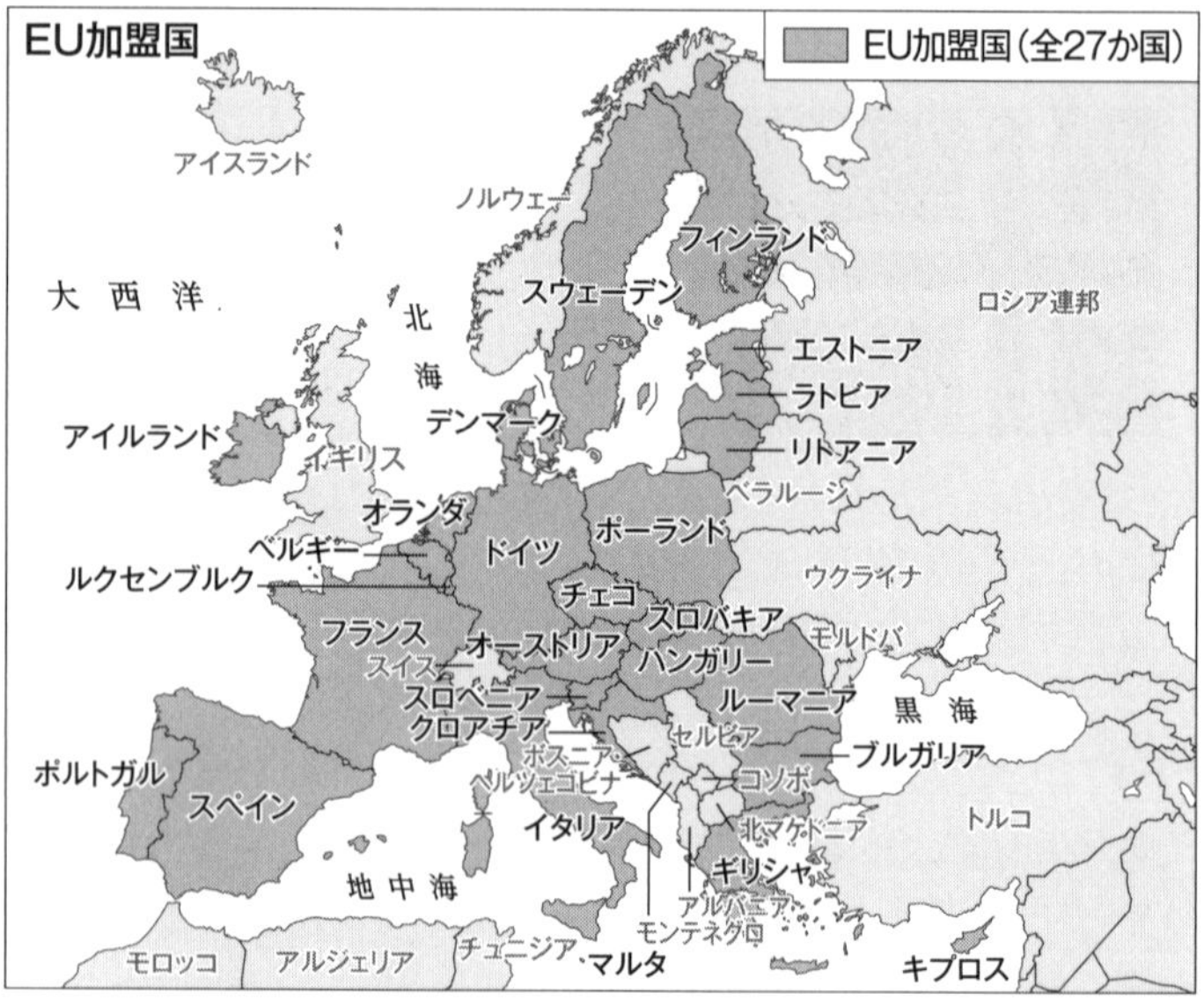

	EU	EEA（欧州経済領域）	EFTA（欧州自由貿易連合）	シェンゲン協定	NATO	国連
デンマーク	○	○		○	○	○
ノルウェー		○	○	○	○	○
スウェーデン	○	○		○	申請中	○
フィンランド	○	○		○	○	○
アイスランド		○	○	○	○	○

1994年は、反対52・2%、賛成47・8%という結果でした。実は、政府はEU加盟に前向きでしたが、国民投票をしてみたら、反対が賛成を上回ったのです。反対したのは主に、漁業者、農民、労働者などだったといわれています。なぜ、彼らはEUに入ることを拒否したのか?

北海はノルウェーにとって、まさに恵みの海です。フィヨルドが生み出す豊かな漁場を、EUに入っていないノルウェーは、少なくとも領海では自分たちで独占できます。しかし、EUに入れば豊かな漁場をオープンにしなければなりません。漁場をオランダとかフランスとか、ほかの国に取られてしまうより、EUに入らないほうが得策だとノルウェーの人たちは考えているのです。

さらに、1960年頃に北海で油田が発見・開発され、イギリスが約半分、ノルウェーが約4分の1を領有しています。この北海油田の石油によってノルウェーは経済的に成長してきました。そして、現在も福祉国家、幸福度などの世界ランキングで上位を維持している背景には石油・天然ガス資源の富があるのです。

ノルウェーは石油資源を持っているところが、ほかの北欧諸国と大きく異なります。好調な経済状況の中で、EUに入って利益があるのか、自国の漁業や農業に影響があるのではないかと懐疑的だったのです。近年の世論調査でも、EU加盟反対が7割を超えています。

――ノルウェーは、アイスランド、スイス、リヒテンシュタインとともにＥＦＴＡ《エフタ》（European Free Trade Association／欧州自由貿易連合）を組んでいるからＥＵに入らないのかな、と思っていたのですが、違うのですか？

ちゃんと予習しているね（笑）。ＥＵの前身であるＥＥＣ（欧州経済共同体）に対抗するため、イギリスが中心になってＥＦＴＡという同じような経済協力機構をつくりました（１９６０年）。ＥＥＣとどこが違うのかというと、加盟国間の関税は撤廃するけど、外部地域への関税率などについては各国それぞれが決める、というところです。

原加盟国は、イギリス、ノルウェー、デンマーク、スウェーデン、スイス、オーストリア、ポルトガルでした。でも、次第にＥＥＣのほうが優位になり、脱退してＥＥＣ（ＥＣ、ＥＵ）に加盟する国が相次ぎ、中心になっていたイギリスも１９７３年にＥＣへ乗り換えました。

その後、90年代になってＥＣ市場をＥＦＴＡ加盟国に拡大することを両者が合意し、１９９４年にＥＥＡ（European Economic Area／欧州経済地域）ができました。これによって、ノルウェーはＥＵに加盟することなくＥＵ市場に参加できるのです。

だから、ノルウェーって、実はいいとこ取りなんだよね。ＥＵに入ると、ＥＵのさまざまな義務があるし、漁場をほかの国々に開放しなければいけない。それはしたくない。だけど、ＥＥＡの条約によって、関税がかからずに漁業資源をＥＵ域内に売ることができる。ＥＵの国々にしても、本当はノルウェーに入ってほしいんだよね。でも、ノルウェーが入らないんだったら、せめて関税はゼロにすることによって経済的な関係を深めようというので、ＥＵ市場に参加できる仕組みがつくられたわけです。

実は、ＥＵを離脱したイギリスも、ノルウェーのやり方を目指しているんです。だけど、ＥＵにしてみれば、今イギリスにそんなことを認めてしまうと、次々と離脱する国が出てしまうから、認めていないのです。

――アイスランドがＥＵに入っていないのはなぜですか？

アイスランドは、ヨーロッパから海を隔てて遠くにあるでしょう。そもそも、ＥＵはヨーロッパの戦争をなくすためにはどうしたらいいだろうか？　国境をなくせばいいんだという発想から始まったわけです。国境をなくせば隣の国と行き来する時、いちいち税関だ、パスポートチェックだ、と面倒くさいことがなくせる。ＥＵの目指すところを考えると、海に囲まれた、人口36万人ほどのアイスランドにその必要性はないんだよね。それに、ノルウェーと同様、漁場をめぐって、漁業関係者からの反対もありました。だから、ＥＵに入らなくていい、という選択をしてきたのです。アイスランドとＥＵの関係については、あとでもう少し詳しく説明しましょう。

ノルウェーに話を戻すと、ノルウェーはEUには入っていませんが、NATOには1949年から加盟しています。ノルウェーは第二次世界大戦の時に、ドイツの侵略を受けました。北欧諸国はいずれもソ連とドイツの板ばさみになって苦悶し、戦後、自分の国を守るためにはどうしたらいいか考え、フィンランドとスウェーデンは中立を保ち、ノルウェーとデンマークはNATOに加盟する決断をしました。NATOに加盟しましたが、ノルウェーとデンマークは平時に自国内に軍事基地を設置することを拒否しており、ソ連（ロシア）を刺激しないように配慮してきたのです。

ノーベル平和賞はなぜノルウェーで選ぶのか

ノルウェーといえば、ノーベル平和賞を連想する人も多いでしょう。ノーベル賞には、物理学、化学、生理学・医学、文学、平和、経済の六つの分野があって、平和賞だけがノルウェーで、あとはスウェーデンで選ばれます。みんな知ってると思うけど、ノーベル賞は、ダイナマイトを発明したスウェーデン人の化学者アルフレッド・ノーベル（1833〜96年）が、巨額の富を世界の発展のために役立ててほしいという遺言を残したことで創設されました。ただし、経済学賞はノーベルの遺言ではなく、1968年にスウェーデン国立銀行の300周年を記念して設けられた賞です。通称で「ノーベル経済学賞」と言っていますが、正式名称を日本語に訳すと、「アルフレッド・ノーベル記念経済科学スウェーデン国立銀行賞」で、スウェーデン国立銀行が賞金を出しています（P168図表⑰）。

ノーベルの遺言には、選考委員も指定されていました。たとえば、物理学賞と化学賞は、自然科学を研究するスウェーデン王立アカデミーが選考します。平和賞については「ノルウェーの議会により選ばれる5人の委員」とされていたのです。

なぜ、平和賞だけノルウェーが選考するよう指定されたのか？　これには諸説あるのですが、ノーベルが生きた時代、スウェーデンとノルウェーは同君連合でした。スウェーデンの王様がノルウェーの王様でもあったということですね。ところが、当時ノルウェーにスウェーデンから離脱したいという動きがあって、ノーベルはそれを悲しんでいたのではないか。だから、ノルウェーに平和賞の選考を依頼することによって、スウェーデンとノルウェーはこれからも一緒で平和であってほしい、そういう思いを込めたのではないかといわれています。でも、結局、ノルウェーは同君連合から離脱をしてしまうわけですが。

もうひとつ、なぜ平和賞をつくったのか、という疑問なんですけど、ノーベルは遺言にその理由を残してはいません。考えられる理由のひとつに平和活動に熱心だったノルウェ

図表⑰—**ノーベル賞とは**

アルフレッド・ノーベルの遺言に基づき、人類に最大の貢献をもたらした人々に贈られる賞。6つの賞がある。

- 物理学賞
- 化学賞
- 生理学・医学賞
- 文学賞
- 平和賞

ノーベルの遺志により設定されたオリジナルの5分野

- 経済学賞*

1968年、スウェーデン国立銀行創設300年を記念し設定された

受賞者には賞金・賞状・メダルが授与される

受賞の条件は発表された時点で本人が生存していることのみで、性別・人種・国籍・年齢・学歴などは問われない

毎年11月頃、各賞の受賞者が順次発表され、ノーベルの誕生日である12月10日に授賞式が行われる

授賞式はストックホルムで行われるが、平和賞のみ選考委員会のあるノルウェーのオスロで授与される

各分野で受賞できるのは3人まで

アルフレッド・ノーベル（1833～96年）

｜写真提供：Underwood Archives/Universal Images Group／共同通信イメージズ

スウェーデンの化学者・実業家。父の軍需工場を手伝いながらニトログリセリンを研究し、ダイナマイトを発明。この発明により巨万の富を得る。ノーベル自身は人道主義者で科学の進歩を望んでいた。そのため、ダイナマイトが平和利用されなかった無念さをノーベル賞制定に託し、全財産をその基金に残した。

*経済学賞の正式名称は「アルフレッド・ノーベル記念経済科学スウェーデン国立銀行賞」

ーを代表する詩人ビョルンソンにノーベル自身が傾倒していたというのがあります。また、ノーベルは生涯独身でしたが、好意を抱いていた女性がいました。ベルタ・フォン・ズットナー（１８４３〜１９１４年）というオーストリアの作家です。小説家になる前、ノーベルに才能を買われて、秘書を務めていたといいます。

彼女は別の男性と結婚し、ジョージアへ行くんだけど、民族紛争で殺し合う様子を見て、戦争が不幸をもたらし、平和がいかに大切かを描く作家になりました。『武器を捨てよ！』という小説が代表作で、平和運動の先駆者になっていったのです。

彼女はノーベルにしきりに平和が大事だっていうことを伝えたらしい。そして、ノーベルには、彼女への思いがあり、平和賞を設けるように遺言に残したんじゃないかともいわれています。そして、１９０５年にズットナーはノーベル平和賞を女性で初めて受賞しました。ノーベルの思いは、そういうかたちで実現したと考えられるのです。

国際紛争の解決に力を発揮

――ノーベル平和賞を選考する5人の委員は、どういう人たちなんですか？

それは、ノルウェーの国会議員を引退した人たちです。ノルウェーの国会が指名します。

現役の国会議員だと、やっぱり、政治的に生臭くなるわけだよね。なので、国会議員を引退して与野党問わず、「あの人は人格者だから適任だよね」と誰もが納得するような人たちによって平和賞の選考委員会というのができているのです。

そして、毎年、ノーベル平和賞を授けるようになってくると、次第にノルウェー自体が世界の平和に貢献しなければいけないという意識が高まってくるわけだよね。スウェーデンも中立政策をとるうちにそうなったでしょう。ノルウェーも、なんとか国際紛争の解決に少しでも協力しようと力を入れるようになったのです。

その成果として有名なのが1993年の「オスロ合意」です。1948年のイスラエル建国からずっと続いていたイスラエルとパレスチナの紛争を、なんとか終わらせて両者の和平を実現させようと、ノルウェーが乗り出したのです。

というのも、中東のアラビア半島のあたりって、アメリカにしても多くのヨーロッパ諸国にしてもかなり手を汚しているわけだよね。さまざまな植民地支配や戦争の歴史がある。でも、ノルウェーというのはまったくそういうことに関係がない。だから、ノルウェーの首都オスロにイスラエルとパレスチナの代表をひそかに呼んで、静かな環境の中で直接話し合って、和平合意をしたらどうかと持ちかけたのです。

秘密会談が実現し、パレスチナ暫定自治協定が成立しました。これによって、パレスチナ自治区というものをつくり、ガザ地区とヨルダン川西岸地区でパレスチナ人による暫定自治が始まることになったのです。これがオスロ合意（P172図表⑱）と呼ばれているわけですね。

さらにおまけがあって、オスロ合意がまとまったという話を聞いたアメリカのクリントン大統領（当時）がしゃしゃり出てきて、協定の調印は私が証人になりましょうと言って、ホワイトハウスでこれをさせたのです。イスラエルとパレスチナの代表の間にクリントン大統領が立って、両方に握手をさせるという、その有名な写真があります。まるでオスロ合意をアメリカの大統領がやったかのようになってますけど、実はそうではありません。ノルウェーのヨハン・イェルゲン・ホルスト外務大臣がひそかに合意に取り組んできたのです（P172図表⑱中段）。

ノルウェーは世界のさまざまな紛争が起きた時に、平和のために協力しようという姿勢を持っています。だから、ロシアによるウクライナ軍事侵攻も、ノルウェーが出てくればいいのですが、ノルウェーはＮＡＴＯに入っているでしょう。ロシアにすれば、これは敵国に近いわけだよね。だから、第三者の立場で紛争の調停ができずにいるのです。

――2023年2月に中国が「和平案」を示しましたが、習近平《しゅうきんぺい》国家主席が仲介役になるのですか？

図表⑱—**オスロ合意とは**

1990年に始まった湾岸戦争でパレスチナ問題解決の声が高まったため、1991年10月、スペインのマドリードで中東和平会議が開催される。パレスチナ側は2国家共存での政治的解決を提案するも、イスラエル側がこれを拒否したため進展せず。

パレスチナ問題とは

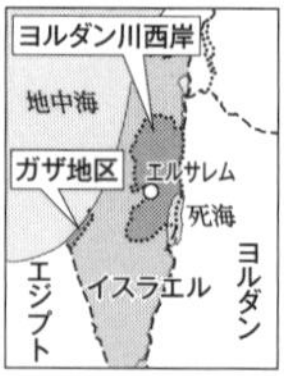

迫害を受けていたユダヤ人がイスラエルを建国（1948年）したことで生じたパレスチナの帰属をめぐる、ユダヤ人と先住アラブ民族の対立。パレスチナ戦争へと発展し、イスラエル軍が占拠したヨルダン川西岸とガザ地区をめぐり両者間で激しい争いが続いている。

アメリカはイスラエルもアラブ諸国も大事なので深く介入せず曖昧な態度…

国際平和のためにノルウェーがこの調停に乗り出す。イスラエル首相と親交のあったホルスト外相を中心に内密にパレスチナとの交渉を重ね、1993年8月20日、首都オスロで合意に至った。

オスロ合意の主な内容

イスラエルを国家として、PLO（パレスチナ解放機構）をパレスチナの自治政府として互いに認める。ヨルダン川西岸、ガザ地区で、パレスチナに5年間の暫定自治を認め、5年後に最終的地位協定を発効させる。

ノルウェーのホルスト外相

オスロ合意の真の立役者。合意の4か月後に脳卒中のため死去。そのため命を賭けた調停といわれる。

写真提供:共同

同年に大統領に就任したばかりのクリントン米大統領の発案で、調印式は9月にワシントンで行われた

調印後、クリントン大統領を間に握手するイスラエル・ラビン首相（左）とPLOアラファト議長

写真提供：AFP＝時事

この合意により、ラビン首相とアラファト議長は1994年、ノーベル平和賞を受賞。
これ以後も合意の調整は行われるが、1996年にイスラエルでリクード政権が誕生すると和平プロセスは停滞。5年の暫定政府期間は終了し、以後も解決には至っていない。

中国はウクライナ危機から1年たったところで、「仲介案」を発表しましたね。西側の制裁を受けているロシアにとって、中国の支援は不可欠になっています。中国は、今ロシアをコントロールできる立場にある唯一の国でしょう。

習近平は、2023年3月に開かれた5年に一度の全人代（全国人民代表会議）で、異例の国家主席3期めに入りました。全人代のまさにその日、中国の仲介によって、2016年以降断交していたイランとサウジアラビアの関係が正常化するという発表があり、世界を驚かせました。さらに、習主席はロシアを訪問してプーチン大統領と会談しました。これまで中国は、他の国に対して内政不干渉の立場をとってきたのですが、大国の「仲介外交」へ転じたのかと、その本気度に世界の関心が集まっているのが現在の状況です。

ちなみに、仲介案ではロシアとウクライナの「できるだけ早い直接対話」を呼びかけ、「核兵器の使用や原子力発電所への攻撃に反対」を表明。また、「一方的な制裁や圧力は新たな問題を生み出す」と、米欧日のロシア制裁を批判しています。対話による解決を促していますが、具体策は示されていません。ロシア軍の撤退が含まれておらず、仲介が成功するとは思えません。

ノーベル平和賞の受賞者が問題になることも

世界平和のためのノーベル平和賞の選定をめぐって、時々、問題が起きることがあります。

2010年、中国で民主化運動をしていた劉暁波《りゅうぎょうは》にノーベル平和賞が授与されました。劉暁波は、著作家で北京師範大学の講師でしたが、天安門事件（1989年）の時に、民主化運動をして捕まった学生たちの救出・支援活動をしていました。基本的人権を守るべきだという信念を持ち続け、4度めの投獄中にノーベル平和賞を受賞したのです。

しかし、中国は劉暁波の出国を認めませんでした。当時のノーベル平和賞の授賞式を見ると、劉暁波が座るはずだった椅子をわざと空席にして、ここに劉暁波が座るはずだったという演出をしています。結局、劉暁波は服役中のまま、2017年に亡くなりました。

劉暁波に平和賞を授与したことを中国は激しく非難し、ノルウェーのサーモンを輸入禁止にしました。ノルウェー政府が決めたわけではなく、選考委員会が選んだことなのですが、嫌がらせを受けてしまったんですね。サーモンの輸入禁止は6年間続きました。ノルウェーはぐっと我慢していたのですが、結局、「中国の核心的利益を高度に重視する」という共同声明を発表することになりました。ノルウェーの全面降伏です。その年からサーモンの輸入は復活しました（図表⑲）。

その後、２０２０年に香港で学生たちの民主化運動が起きた時に、間違いなく香港の学生たちにノーベル平和賞が授与されるだろうと思ったら、国連世界食糧計画（ＷＦＰ）が受賞しました。ＷＦＰは確かに受賞に値する仕事をしていますが、ノルウェーの平和賞委員会は中国の経済制裁に屈して、香港の学生たちに与えなかったんじゃないかと疑ってしまいます。ノーベル賞の選考過程というのは50年後に明らかにされることになっています。それまでは理由がわからないわけですが、中国の圧力に屈したかもしれない。そういう残念な現実があるということですね。

図表⑲―**ノーベル平和賞をめぐる中国、ノルウェー間の駆け引き**

きっかけ　2010年、ノルウェーのノーベル委員会は中国の民主活動家・劉暁波氏にノーベル平和賞を授与。中国政府に拘束されている同氏の釈放を求める

↓

中国は…　中国は内政干渉として強く抗議。ノルウェー産サーモンの輸入を規制

ノルウェー政府は
「ノーベル委員会は
独立機関で関わりがない」
と強調するも…

↓

その結果…　2016年、ノルウェーは「中国の核心的利益を高度に重視する」という声明にサインし、関係は正常化した

一方、ノーベル平和賞をきっかけに、それまでまったく注目されなかった出来事が大きく取り上げられることがあるんですね。たとえば、インドネシア東部のティモール島に東ティモールという国がありますが、かつてはポルトガルの植民地でした。１９７４年にポルトガルが手を引くと、今度は隣のインドネシアによって占領されてしまいます。そこで、東ティモールの人たちは、平和的な非武装の独立運動をしていたのですが、インドネシアによって徹底的に弾圧されました。

ところが、１９９６年、その東ティモールで平和的に独立運動をしている人たちにノーベル平和賞が授与されると、世界中にそのことが知れ渡ります。インドネシアに対して、東ティモールの独立を認めたらどうかという国際的な圧力がかかり、それが後押しとなり、東ティモールは独立を果たすことができました。

あるいは、南アフリカにおいて、人種隔離と差別の制度であるアパルトヘイトとずっと闘ってきたネルソン・マンデラがノーベル平和賞を受賞し、世界中でアパルトヘイトへの批判が高まりました。それが大きな力になり、やがてアパルトヘイトが撤廃されることになったのです。

ノーベル平和賞は、まさに世界のさまざまな差別、抑圧を解消するために非常に効果的な面もあるのですが、逆にそれが政治的な波紋を広げることもあるのです。

平和賞とは少し話がずれますが、ノルウェーは死刑も終身刑もない国です。さらに、刑務所は世界一快適といわれています。2011年に極右のひとりの男が首都オスロにある政府中枢部の庁舎で爆破テロを行い、8名を殺害。さらに、オスロ近郊の湖にあるウトヤ島でサマーキャンプ中の労働党の青年69人に銃を乱射して殺害したという、連続テロ事件が起きました。両事件で77人が死亡するという未曽有の大事件です。

その犯人のテロリストに下された判決は、禁錮10年から21年という有期刑でした。受刑者は刑務所で3部屋も与えられて服役中です。テレビもインターネットもあり、ゲームもできるというから驚きですよね。

ノルウェーでは刑務所に入るのは罰するためではなく、本人に反省させ、社会復帰をさせるためのものなのです。国際的には死刑廃止が大きな流れになっています。私たちが普通と思っていることが、世界を見回したらそうではなくなっていることがある、ということを知っておいてください。

「クオータ制」はノルウェーで始まった

Q 政治や経済分野における「クオータ制」とは、どんな制度か知ってい

ますか？

――議員や会社役員に、女性の割合を定めておく制度です。

はい、そうですね。ジェンダー平等を少しでも実現するために、女性の比率を一定数決めることだよね。「クオータ（quota）」は、割り当てという意味です。たとえば、選挙の時に、それぞれの政党に対して、候補者の女性比率を少なくとも3割にしなさいとか、会社の役員の4割を女性にしようとか、女性の割合を決めて積極的に起用することです。忘れられがちですが、性別ばかりでなく、人種や民族、宗教などでマイノリティの立場の人にも用いられます。

この制度は、ノルウェーが最初に始めました。まず、1970年代に政党レベルで自主的に導入され、2003年の会社法の改正によって、企業にも広がりました。クオータ制を導入したことによって、男女平等の意識がさらに高まり、男性が育児休暇を取りやすくなる育児休業制度へ発展していきます。

Q「パパ・クオータ制」というのを聞いたことがありますか？

――育児に関する制度ですか？

はい、それでは説明しましょう。パパ・クオータ制というのは育児休暇の一定期間を父親に割り当てる制度のことです。ノルウェーでは、最長59週間（賃金の8割を保障）または49週間（同10割を保障）の育児休業を取ることができますが、そのうち15週間（2023年時点）はパパ・クオータ制によって、父親に割り当てられています（図表⑳）。つまり、母親だけですべての育児休暇を使うことができないようになっているわけです。父親が使わなければ、割り当ての15週を全体から引かれてしまうため、父親の育児休暇取得を後押しする政策になっているのです。

実は、ノルウェーでも、1993年にパパ・クオータ制を導入する以前は、男性で育児休暇を取る人は約4％しかいなかったのです。それで、なんとかしなければいけないとなって、パパ・クオータ制を導入したんですね。

図表⑳―**ノルウェーのパパ・クオータ制（2023年3月現在）**

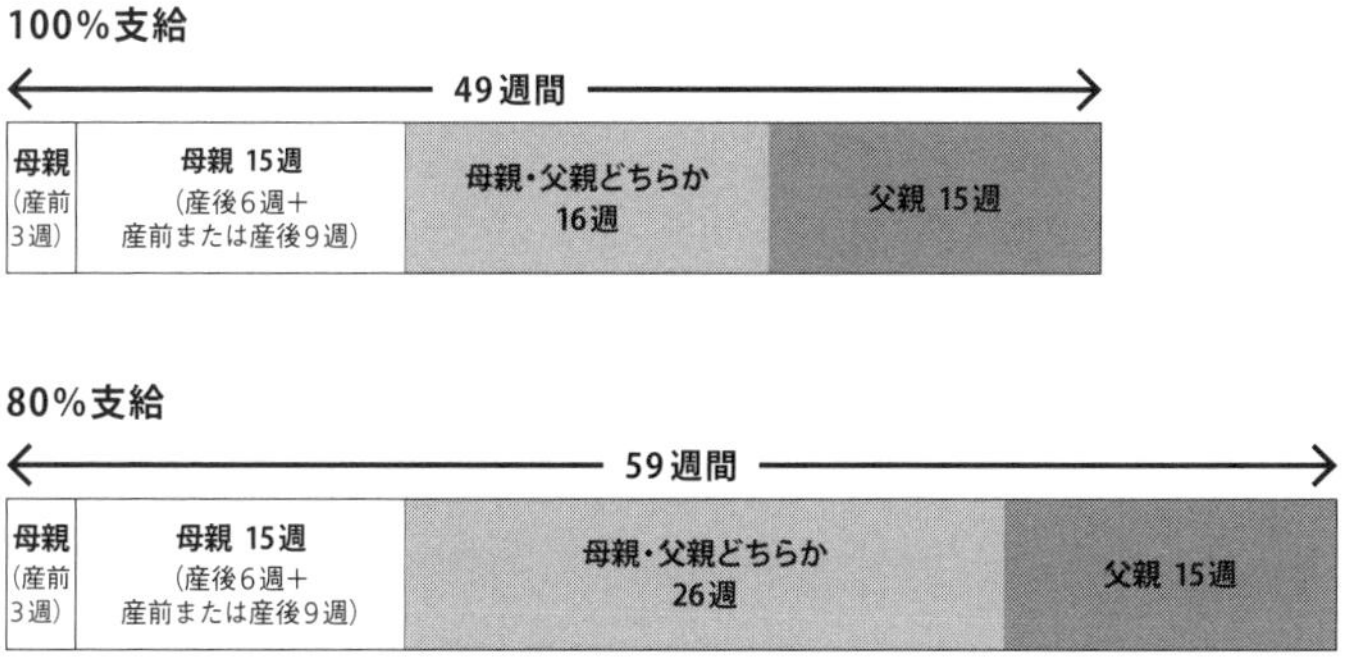

・父親が割り当てられた休暇（15週間）を取らなければ、その分は消滅する
・ノルウェーでは1977年から父親も育児休暇を取れたが、実際に取得する人はほとんどいなかった。1993年にパパ・クオータ制が導入されてからは取得率が急激に伸び、4年後に7割を超え、10年後には9割の父親が利用するようになった

制度ができて取得者が急増し、10年後の2003年には父親の9割が制度を利用するようになりました。今、日本の男性も育児休暇を取れるようになったけど、まだまだ取る人が少ないよね。

ここで、注目したいのは、父親が育児休暇を取れば、その期間、給料の80〜100％のお金がもらえますという仕組みにしたら、利用者が急激に増えたことだよね。北欧諸国のジェンダー平等や高福祉は、自然になったわけじゃない。あくまでそうしなければいけないと決断して、クオータ制度のような大胆な改革を何十年もの間やってきた。その結果、ここまで来たということなのです。

日本も、国会や地方議会の選挙で男女の候補者数をできるかぎり均等にしようという「候補者男女均等法」が2018年にできましたが、努力義務なので、やらなくても罰せられないのです。だから、女性議員はまったく増えていないわけです。国際機関の列国議会同盟（IPU）の調査では、国会（二院制の場合は下院に相当する議会）に占める女性議員比率で、日本は世界190か国中165番めで、G7諸国では最低です。

ただ「みんなでがんばりましょう、努力しましょう」と言うだけでは、必ずしも効果は上がりません。パパ・クオータ制のように、それをしないとお金がもらえませんよとか、あるいは、こういうことをしないと罰せられますよという仕組みにしなければ、なかなか目指すところまでいかないんだということですね。

ここから先は私の単なるアイディアですけど、政党交付金（政党助成金とも）という仕組みがあるのを知っていますか。私たちの税金の中から、ひとり当たり250円に国民の人数をかけた総額315億円あまりが各政党に分配されています。共産党は政党交付金制度に反対しているので受け取りを拒否していますが、ほかの政党には、当選している議員の数、あるいは得票率に応じて政党交付金が渡されています。

1994年に導入された制度で、政党が政治活動をするのに、いろんなところから賄賂をもらって汚職が蔓延している。汚職をやめるために、国民が政治活動のお金を出すから、汚職しないで政治に専念しろということで、政党交付金の仕組みができたんです。なぜ250円かというと、みんなコーヒー一杯分ぐらい我慢しようといって、当時の標準的なコーヒー一杯の値段だった250円が今も続いているのです。

だから、私に言わせると、女性の候補者の比率を満たさなかった党には政党交付金を渡さないとか、政党交付金を削減するとか、そういう罰を与えるとやるんじゃないかと思っているのですが。まあ、ちょっと余計な話だったかもしれません。

つまり、北欧諸国は社会福祉が充実したり、ジェンダーギャップも減ったりしているけど、それぞれが高い問題意識を持って取り組んできた結果なんだということですね。

アイスランドは再生可能エネルギー大国

では、そろそろアイスランド（P183図表㉑）の話に行きましょうか。ヴァイキングが航行中に「氷の島」と呼んだのが名前の由来といわれています。自分の国を「氷の島」なんて呼ばれると反発する人が出そうですが、寒くて資源も何もない国と思って誰も攻めてこないだろう、国を守るのに好都合と考えて、あえてアイスランドという名前を変えなかったといいます。前の章で話したグリーンランドとは違った考え方ですね。確かに冬は雪と氷ばかりですが、暖流である北大西洋海流と南からの偏西風のおかげで、緯度の割に暖かく、首都レイキャビクを例に取ると、いちばん寒い1月の平均最低気温はマイナス2度くらいです。

この島はとにかく火山活動が活発です。南部にあるラキ火山は1783年に大噴火し、成層圏に達した火山灰のためヨーロッパ中で太陽の光が妨げられ、以後数年にわたって天候不順が続き、農作物に大きな被害をもたらしました。フランスでは食料不足が深刻になり、1789年のフランス革命の大きな要因となりました。

火山活動が活発だから、地震も多いわけですね。なぜここで火山活動が活発になってい

図表㉑ — **アイスランド共和国基礎データ** ｜出典：外務省HP、IMF、アイスランド政府HP

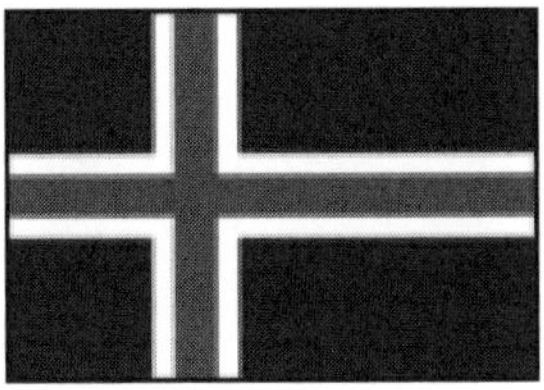

首都	レイキャビク
面積	約10.3万平方キロメートル（北海道よりやや大きい）
人口	36万4134人（2020年）
言語	アイスランド語
宗教	人口の約8割がキリスト教の福音ルーテル派（国教）
政体	共和制
元首	グドゥニ・トルラシウス・ヨハネソン大統領
名目GDP	278億米ドル（世界110位）
一人当たり名目GDP	7万3998米ドル（世界8位）
通貨	アイスランド・クローナ

カトリン・ヤコブスドッティル

第28代アイスランド首相
（2017年11月30日〜）

1976年2月1日レイキャビク生まれ。放送局勤務、大学講師などを経て2007年、国会議員に初当選。2009〜13年、教育・科学・文化大臣を務め、2013年、左派緑運動党の党首になる。2017年の総選挙で独立党・進歩党・左派緑運動党の連立政権が結成され、首相に就任。男女共同参画担当大臣も兼務している。現在2期め。

るかというと、北米プレートとユーラシアプレートが生まれる場所なのです。地球の表面は十数枚のプレートと呼ばれる岩盤で覆われています。日本列島は、北米プレートとユーラシアプレート、太平洋プレート、フィリピン海プレートという四つのプレートがぶつかっている上に存在しています。その結果、しばしば大きな地震に見舞われるわけです。

その四つのプレートのうち、北米プレートとユーラシアプレートは、大西洋中央海嶺《かいれい》という巨大な海底山脈の活動から生まれたものです。海底山脈の中心には大きな割れ目があって、そこにマントルで生じたマグマが噴き出して、割れ目の両側に新しいプレートがつくられます。アイスランドはちょうどこの割れ目にあたる部分にできた島なのです。アイスランドでは海嶺の直下にホットスポット（海底でマグマが噴き出しているところ）が存在しているため、陸上に海嶺が現れているわけですが、ふたつのプレートのスタート地点を見ることができます。

私は、その場所に行ったことがあります。世界遺産のシンクヴェトリル国立公園の中にあり、「ギャウ」と呼ばれる大地の裂け目が巨大な峡谷《きょうこく》として広がっていました。ユーラシアプレートが東に、北米プレートが西に進み、大地の裂け目は年に2〜3センチメートル広がっているそうです。ふたつのプレートに架かるといわれる橋がありますから、もし行く機会があれば、ぜひ渡ってみてください。

自然の恵みのおかげで、アイスランドでは電力のすべてが自然エネルギーだけでまかなわれています。火山が生む大量の高熱水蒸気が地熱発電に、氷河からの大量の雪解け水が水力発電に利用されているんです。まさに再生可能エネルギーというわけですね。

さらにその地熱発電で、温泉がいっぱいできます。その温泉の湯を各家庭に引き込んでいるんですね。首都のレイキャビクの家を取材したことがあります。どの家にも水が出る蛇口とお湯が出る蛇口がありました。さらに、オイルヒーターのようなものに、オイルではなくお湯が通っていて暖房もまかなっているのです。家庭の暖房だけでなく、道路の下にも温水が通る管を敷き詰めているので、冬でも路面は凍結しません。除雪をする必要がないんですね。アイスランドでは、車や船などもガソリンから水素燃料電池に移行しつつあり、化石燃料の使用ゼロを目指しています。

ビットコインのマイニング事業が集中

アイスランドは、地熱と水力エネルギーのおかげで、電力料金がものすごく安いんですね。すると、電力を大量に消費する産業が発展するわけです。では、問題です。

Q 電力を大量に消費するために、アイスランドで盛んな産業はなんでしょう？

――**アルミニウム産業です。**

正解です。アルミニウムって、電気の缶詰というぐらい、つくるのに猛烈に電力を使うのです。原料のボーキサイト鉱石を輸入してアルミに加工するアルミニウムの精錬は、漁業とともにアイスランドの代表的な産業です。そして、もうひとつ、急激に需要が伸びているものがあるんだけど、誰かわかりますか？

――**？？？**

ちょっと難しかったかな。暗号資産（仮想通貨）のマイニングです。代表的な暗号資産といえば、ビットコインですね。ビットコインの取引は、「ブロックチェーン」技術で管理されています。ブロックチェーンは、過去の取引の記録を保存した取引台帳のようなものです。そして、取引のたびにこの台帳を更新しなければなりません。そのために膨大な計算を行う必要があり、コンピュータをがんがん使って、その計算をするわけね。で、更新に成功すると、報酬として新たなビットコインを得られる。この仕組みをマイニングといいます。

当然、コンピュータをたくさん使うので、電力が必要になるというわけですね。以前は中国の内陸部でやっていたのですが、暗号資産って、人民元と違って中国政府がコントロールできないものだから2021年に禁止してしまいました。それで、アイスランドの電力料金が安いというので、ビットコインなどの暗号資産をつくり出すマイニングが、アイスランドに集中しているのです。急激に電力消費量が上昇したので、アイスランドの電力会社は、同年末にマイニングやアルミニウム精錬所に供給する電力量を削減しました。暗号資産の普及とともに、電力供給の問題が大きくなりつつあるんです。

――地熱発電についてですが、日本も温泉が豊富です。地熱発電を増やせないのですか？

あなたの言うとおり、地熱発電を増やしたいよね。日本の地熱発電のポテンシャルって、実はものすごく高くて、地熱資源量はアメリカ、インドネシアに次ぐ世界3位なのです。再生可能エネルギーに非常に有力なのですが、地熱発電の開発は進んできませんでした。

理由は主に三つあります。地熱資源のうち8割以上が国立公園・国定公園などの自然公園に集中していて開発が厳しく制限されていること、温泉観光地が温泉への影響を心配して反対していること、地熱資源を正確に掘り当てる難しさと多額の費用がかかることです。停滞している状況を変えようと、国が開発支援や規制緩和に取り組んでいますが、地熱発電の開発がなかなか進まないのが現在の日本の大きな問題なのです（P189図表㉒）。

アイスランドは、人口36万人の非常に小さな国なので、再生可能エネルギーでまかなえている、という面もありますね。アイスランドには「ブルーラグーン」（写真⑧）という世界最大の屋外温泉施設があります。レイキャビクの中心街から車で40分ほどの場所にあり、隣接する地熱発電所で使用した、地下からの温水を利用した人工温泉です。青みがかった乳白色のお湯で、とてもきれいな露天風呂です。あちらの人たちは水着を着て入りますから、男性女性が一緒に入ることができるというわけですね。

アイスランドでは、ほかにも熱湯が噴き上がる間歇泉《かんけつせん》や、隆起した溶岩台地から流れ落ちる豪快な滝など、ワイルドな自然を堪能できます。

写真⑧—アイスランドの地熱を利用した人工温泉「ブルーラグーン」｜写真提供：hemis.fr/時事通信フォト

図表㉒—**世界の地熱発電**｜出典：独立行政法人エネルギー・金属鉱物資源機構

各国の地熱発電設備容量と資源量（2020年）

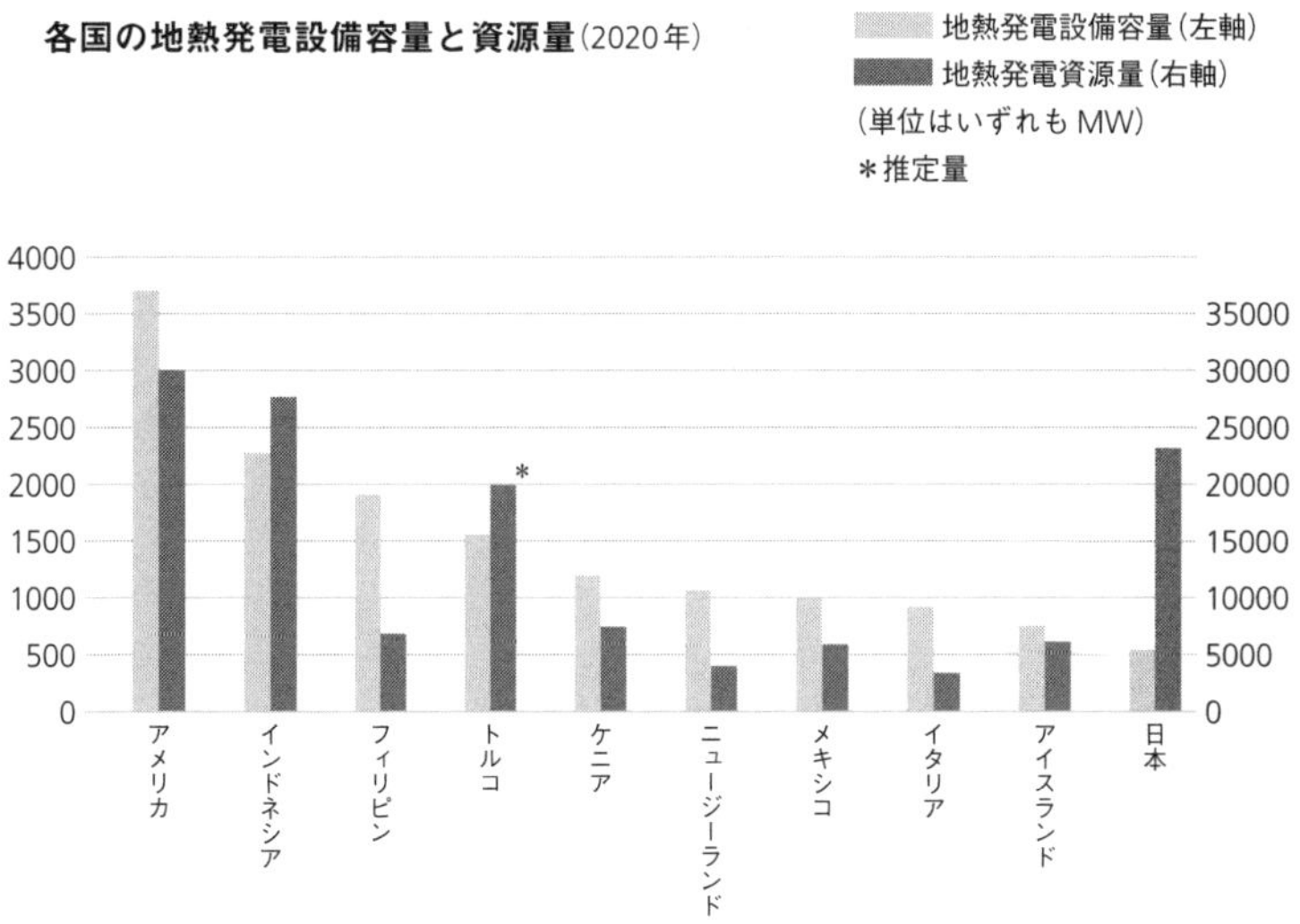

日本の主な地熱発電所

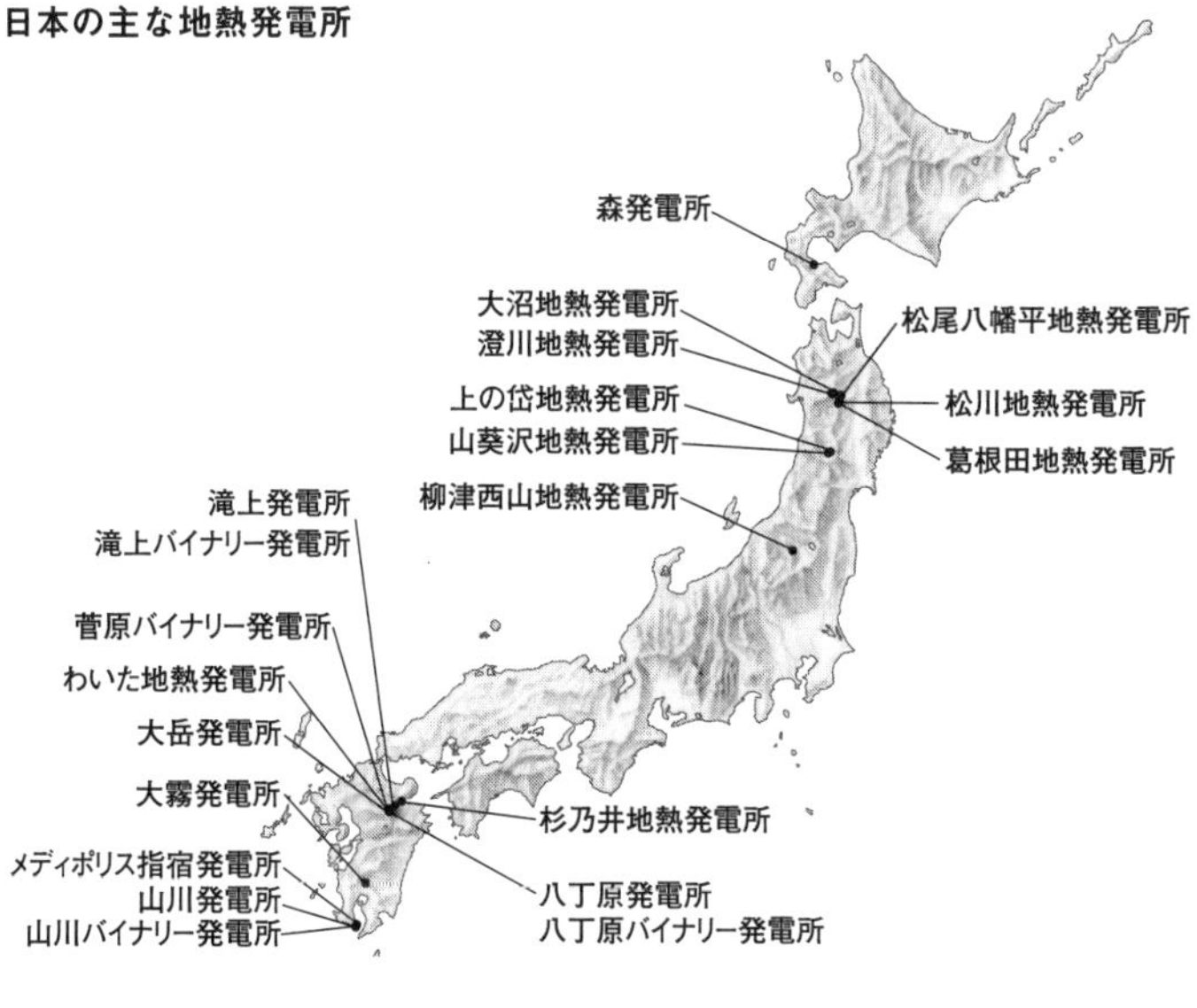

東西冷戦を終わらせたレイキャビク会談

アイスランドは9世紀にヴァイキングたちが移住してきてできた国で、13世紀以降ノルウェーを経てデンマークの支配下に入ったと第2章で話しました。930年頃には「アルシング」という全島集会が設けられ、みんなで議論して物事を決めていたという話もしましたね。ようやく完全独立を果たしたのは、第二次世界大戦中の1944年のことでした。

その時の経緯を説明しておきましょう。1940年、中立を宣言していたデンマークにドイツが侵攻して占領しました。その頃、アイスランドにはドイツと敵対するイギリス軍が先手を打って駐留していました。アイスランドは、デンマークと同君連合などを定めた連合条約を結んでいて、条約の有効期限は1943年でした。ところが、デンマークがドイツに占領されたため、条約の更新は滞っていました。アイスランドはこの機を逃さず、国民投票を経て同君連合の解消を宣言し、正式に独立したのです。デンマークは黙ってこれを追認しました。

大戦が終わると、東西冷戦の時代が長く続きますが、その冷戦の終結の地となったのが、首都のレイキャビクだったのです。1986年、ソ連のゴルバチョフ書記長とアメリカのレーガン大統領がこの地で会談をしたことがきっかけとなり、冷戦に終止符が打たれました。

レイキャビクは、ヨーロッパ大陸から離れているでしょう。今のロシアからもアメリカからも離れている。そういう場所が選ばれて、世界が注目する東西のトップ会談が行われたのです（写真⑨）。会談が行われたのは、海岸沿いにある、英語でホフディ・ハウスと呼ばれる邸宅ですが、アイスランド語だと「ヘヴジ」と呼ばれています。今も保存されていて、私も行ったことがあります。こぢんまりした2階建ての建物で、純白の外観が美しく、レイキャビク湾の景色とよく合っていました。

アイスランドは人口の少ない小国だから、警察はありますが、軍隊らしい軍隊がないん

写真⑨―1986年10月、レイキャビクにあるホフディ・ハウスで、冷戦終結に向けてソ連・ゴルバチョフ書記長（手前）とアメリカ・レーガン大統領（正面）の会談が行われた｜写真提供：ゲッティ＝共同

です。そこにソ連のトップとアメリカのトップがやって来て、どうやってふたりの安全を守るんだと、当時大きな問題になりました。結局、ソ連は自国の船をレイキャビクの沖合いに止めて、そこに、ゴルバチョフ書記長が宿泊して会談に通いました。

東西首脳のトップ会談から37年の月日が過ぎましたが、レイキャビクでは、２０１３年から「北極サークル」と呼ばれる国際会議が毎年10月に行われています。アメリカ、カナダ、ロシア、中国、ノルウェーなど50か国以上を集めて、北極航路のインフラや、鉱物資源・水産資源の開発、環境・生態系保護政策などについて議論しています。日本も２０１８年から参加しています。近年、資源開発や航路をめぐって北極圏での権益争いも起きているので、国際問題を自由に話し合える場として北極サークルに関心が集まっています。

「タラ戦争」とＥＵ加盟問題

戦後の冷戦時代、ソ連の接近もありましたが、アイスランドは１９４９年にＮＡＴＯに加入しました。その後、アメリカと防衛協定を締結し、ケフラビク米軍基地が設置されます。アメリカはアイスランドが北極海をはさんでソ連と対峙する位置にあることから戦略的に重視したのです。また、アイスランドにとっても、労働者の雇用や基地使用料が国家財政に恩恵を与えました。

　当時のアイスランドは、漁業が唯一の産業で輸出の80％を水産物が占めていました。アイスランド政府は、近海漁業を保護するために、漁業水域を１９５８年には12海里と宣言していましたが、72年には50海里、さらに75年には２００海里に拡大しました。

　これに対してイギリスが、スコットランドの漁民の漁業権を守るため、圧力をかけてきました。アイスランドは軍隊を持っていませんが、警備艇がイギリス漁船の網を切る体当たり攻撃を行います。また、ＮＡＴＯ脱退をほのめかしながら、アメリカの仲介を得ようとします。ＮＡＴＯ軍にとって、レイキャビクから近いケフラビク基地は、なくてはならない拠点であったため、イギリスに妥協を迫り、イギリス漁船を閉め出すことに成功しました（その後、船の数を制限してイギリス漁船の操業を認めた）。アイスランド近海は特にタラ漁が盛んなので、この一連の争いは「タラ戦争」と呼ばれました。

　その後も、アイスランドはＮＡＴＯの一員であることを続けていますが、ＥＵには加盟していません。ＮＡＴＯ加盟、ＥＵ未加盟という立場をとっています。アメリカ発のリーマン・ショック（２００８年）の影響で経済が破綻したとき、ＥＵ加盟申請をしましたが、その後取り下げました。主な理由は、ノルウェーと同じように、ＥＵに加盟すればＥＵの基準に従わなければならず、アイスランドの漁業にとってメリットがないという漁業関係者の要求が強いからです。ＥＵに入らなくても、アイスランドは「欧州経済地域（ＥＥＡ）」や欧州の加盟国に自由に出入国できる「シェンゲン協定」にも参加していて、欧州各国とは強い繋がりを持っているから問題ないと考えているのです。

――ケフラビク米軍基地は２００６年に閉鎖し、米軍は撤退をしましたよね。確かアイスランドはとどまってほしいと願ったけど、アメリカが突っぱねたかと。でも、戦略上、ロシアとも近いし、撤退していいような場所とは思いづらいのですが。アイスランドの戦略上の重要性というのはどのぐらいになっているのでしょうか？

わかりました。しっかり勉強してきましたね。確かに、アイスランドから米軍は撤退し、米軍基地は閉鎖しました。東西冷戦時代にソ連とにらみ合う中で、中間地点にあるアイスランドは、アメリカとしてそれなりの意味があった。だけど、長距離ミサイルができたら、わざわざここに軍隊を置かなくても抑止力になるだろうという考え方だろうね。長距離のミサイルがあれば、わざわざアイスランドに莫大なお金を出して、駐留する必要はないだろうということです。

でも、アイスランドにしてみれば、アメリカ軍がいるとものすごく心強いわけで、それをなんとかしてほしいと思ったけれど、アメリカは東西冷戦の時のような価値がなくなれば撤退するよ、ということだと思いますね。

アイスランド人は本好き

Q アイスランドのように独自の言語を持っていて、人口が少ない国ならではの苦労があるのですが、わかりますか？

——？？？

日本に暮らしていると、想像できないかもしれないね。人口の少ない国が独自の言語を持っていると、その言語を使用するのは、その国だけのマーケットに限定されてしまうわけだよね。アイスランド語の本を出して、全国民が買ったとしても36万人しか読まないわけでしょう。大量に本を印刷して売るということができないため、アイスランド語の本はものすごく高額になるわけです。それでも、冬が長いから家で本を読むのは国民の娯楽のひとつ。アイスランドは家庭での蔵書数が世界トップクラスなのです。図書館の利用も多いので、アイスランド人は世界有数の本好きといえるでしょう。

アイスランド語は汎用性がないという話ですけど、だから、みんな英語を一生懸命勉強することになるわけですね。英語は汎用性が高いでしょう。人口が少なくてその言語をしゃべる人が非常に少ないと、英語で学ばなければいけないという、こういう構図になっていくわけですね。ということで、アイスランドでは汎用性のある英語の本は安く、アイスランド語の本の半額くらいで売られています。

日本は人口が1億2500万人もいるから、とりあえず、日本語の本を出していれば、そこそこ売れるわけでしょう。世界を相手にしなくてもなんとかなるわけだよね。でも、お隣の韓国は、人口が約5000万人で日本よりはるかに少ないから、韓国の国内だけで勝負していたら、商売がなかなか発展しないわけでしょう。エンターテインメントだって、韓国国内向けにつくるだけじゃ、マーケットが限られます。

それなら、世界のトレンドやニーズを意識したコンテンツで勝負しようと、BTSのようなグループが出てくるわけですね。SNSをうまく利用して英語でも情報発信をするなど、最初から世界を舞台にすると考える。人口が少ないと、逆にそれができるんですね。日本は中途半端に人口が多いもんだから、日本だけでなんとかなってしまう。結果的に、ふと気がついたら、世界の中で、日本は出遅れているということが、いろんな分野で起きていると思うのです。人口が少ない国ならではの努力に目を向けることも必要ですね。

もうひとつ、人口が少ないことで、アイスランドの意外な面があります。人が少ないから慢性的な人材不足になっているんです。人材不足になるから、人材を確保するために、結局、高賃金ということになってくる。そして、その人口不足を解消するために、ヨーロッパ大陸の東欧とか、あるいは、南欧からの出稼ぎ労働者に来てもらっているという状態になっているんです。英語が使えて待遇がいいので、移民の数は年々増加しています（図表㉓）。

――雇用を削減するために、たとえば、お店でAIを導入して店員を減らすとか、そういう取り組みっていうのはあるんでしょうか？

それはまさに、今これからっていう話だよね。確かにコストを削減するために、ＡＩを導入しましょうという話は、いろんなところで取り組みが行われるようになっています。アイスランドは人口が少ないからこそ、行き届いた教育もできるわけで、ＩＴ産業などに力を入れています。そういう技術者もだんだん生まれてきているから、ＡＩ、あるいはＩ

図表㉓—**アイスランドの移民**｜出典：国連 Population division

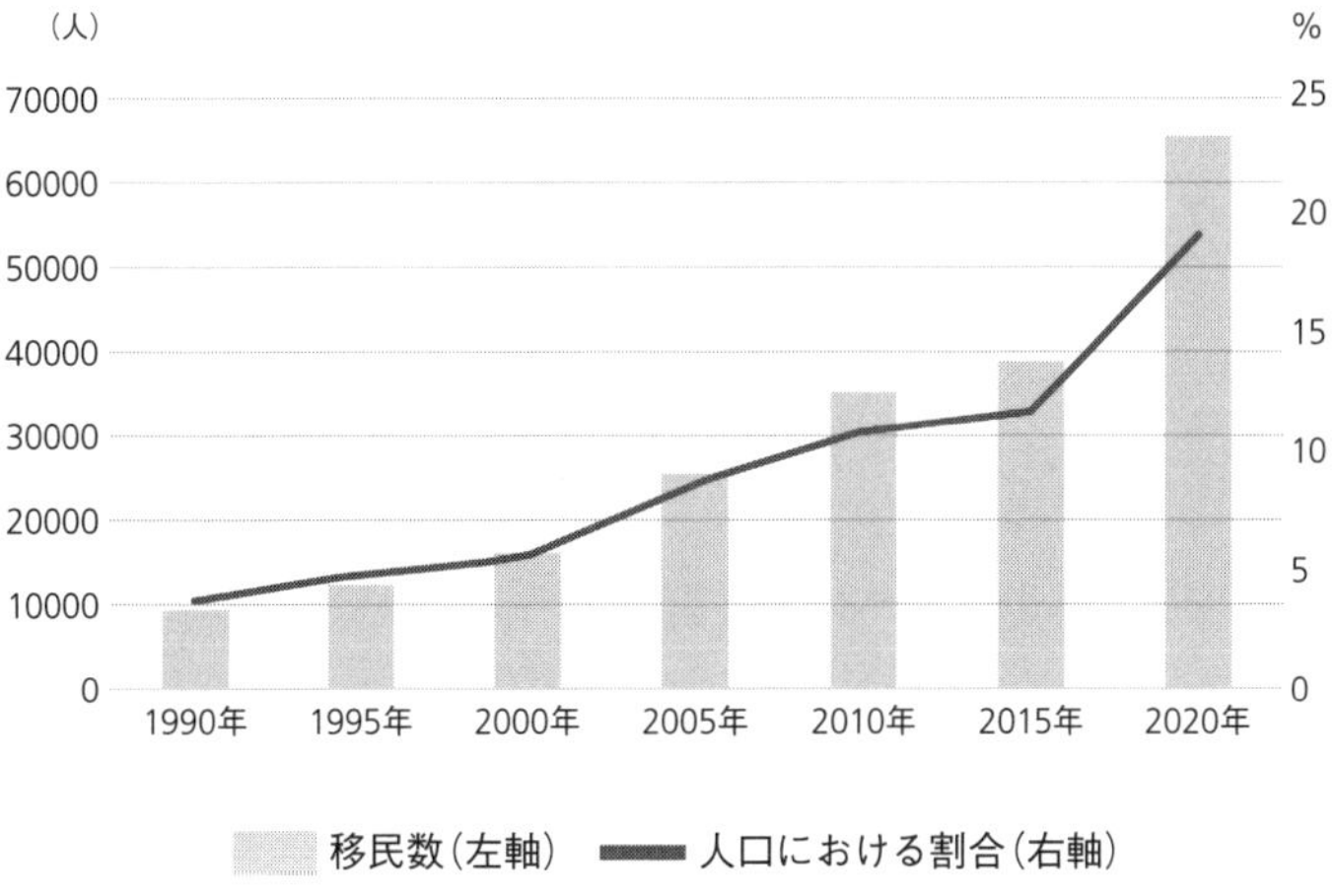

Tを使って雇用をなんとか抑えようという動きは、当然のことながら、これは先進国では
どこでも起きてることだし、アイスランドでも始まっているところだと思いますね。

第6章

北欧諸国から何を学ぶか

核のゴミの処分場で見た合理的精神

ここまで、北欧諸国について学んできました。総じて北欧の人々は物事を合理的に考えると思うのです。フィンランドで、学校の図書館と地域の図書館が、時間帯で利用者を分けるのは、実に合理的です。

さらに私が驚いたのは、原子力発電所の使用済み核燃料をどうするのか、という大きな問題への取り組みです。今のところ、世界で使用済み核燃料の最終処分場を決めることができたのはフィンランドとスウェーデンだけです。以前、アメリカも一度決めたのですが、放射能汚染が心配だという地元の反対で、頓挫《とんざ》したままです。フランスは北東部にあるビュールという地域に決めて実験を繰り返し、２０２３年１月に処分場の建設許可を国に申請しました。しかし、地元の反対は今も強く、建設できるかは不透明な状況です。

原発（原子力発電）を利用すれば、放射性廃棄物の問題は避けて通れません。特に、高レベル放射性廃棄物、いわゆる「核のゴミ」は、地下深くの安定的な地層の中に埋める「地層処分」が最も適しているのです。世界で最初に処分場を選び、操業に向けて建設を始めたのがフィンランドです。

Q フィンランドで今、建設している使用済み核燃料の最終処分場の名称を知っていますか？

――**オンカロです。**

　よく知っていたね、正解です。オンカロという名称は原発関連のニュースでも、よく出てきますね。オンカロは、フィンランドの南西部に位置するオルキルオト島というところにあります。オンカロはフィンランド語で「空洞・洞穴」という意味です。地下約450メートルのとてつもない穴が掘られて、らせん状にぐるぐる回る坑道を車で降りていくと埋設予定地点にたどり着きます（写真⑩）。

　私も取材で行って、その中に入ったことがあります。使用済み核燃料から出る放射線が

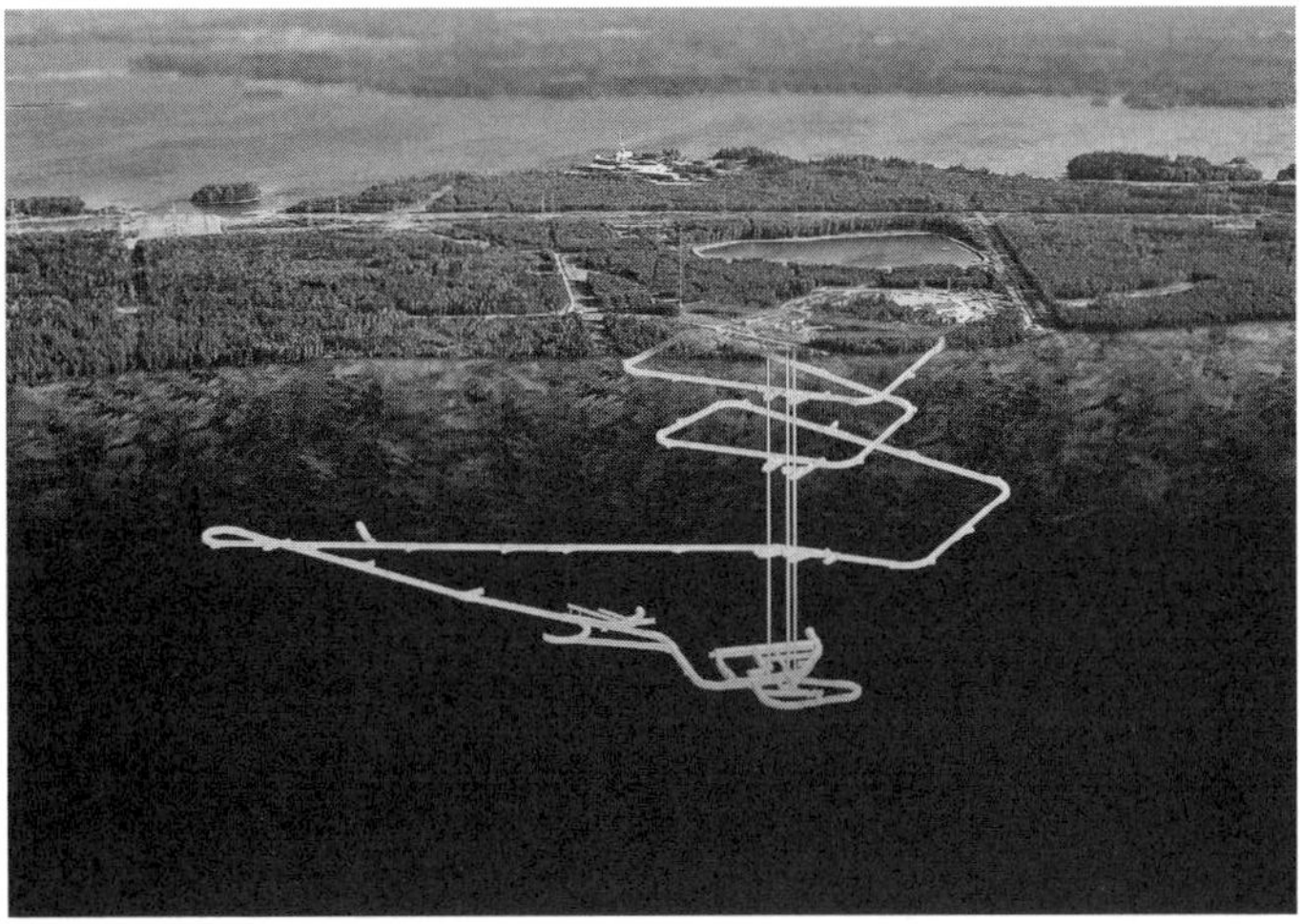

写真⑩―フィンランドで建設中の核処分施設オンカロの完成図。核のゴミは、分厚い岩盤の地下約450メートルのところに埋設された処分場に運ばれる｜写真提供：Posiva

少なくなり安全な状態になるまで10万年かかるそうです。つまり、10万年間保存しなければいけない場所をつくるわけです。気が遠くなるような話でしょう。

日本では、なかなか処分場の場所が決まりません。それで、場所を選定する最初のステップである「文献調査」に応じてくれたら、お金を出しますよと言ったら、北海道の町と村ひとつずつが手を挙げました。「文献調査」とは、事業の内容や事業が地域に与える影響などについて議論を深めていくために、調査・分析された資料を市町村に提供すること。これをもとに対話しましょうという意味合いのものです。2年間の文献調査に応じれば最大20億円（単年度上限10億円）の交付金が出るのです。しかし、名乗り出た2町村に対し、北海道の地質学者らが不適地であるとする声明を発表しました。2町村の周辺には、噴出したマグマが水で冷やされてできた水冷破砕岩《すいれいはさいがん》が広がっており、不均質で脆弱な地層なので地震に弱いと指摘しています。2町村での文献調査は続いていますが、その後、新たに文献調査の受け入れを表明した自治体はありません。

フィンランドのオンカロがある場所は、ものすごく古い地層なので、地下水がそんなにないんですね。日本はどこを掘ったって、地下水がいっぱい出るでしょう。使用済み核燃料の格納容器が水に浸されると、腐食して中身が出てきてしまいます。だから、地下水がないところを選んで処分場をつくるわけだよね。オンカロがある島のあたりは、海底が浅く、大地震が起きたところで津波は起きません。約18億年前にできた岩盤があるため、そもそも地震がないという場所を選んだのです。

――オンカロのある場所の住民たちは、建設に反対しなかったのですか？

私は、オンカロがある町の町長さんにインタビューをしました。なぜ、使用済み核燃料の最終処分場を受け入れることになったんですかと。その時、つい日本的な発想で、「国から補助金が出たんですか」と聞いてしまいました。すると、町長はこう言ったんです。「そんなものは何も出ていません。私たちは原子力発電所の恵みによって豊かな生活をこれまで享受してきました。その原子力発電所から使用済み核燃料が出てきたら、これをなんとかしなければいけないのは当然の責任です。だから、我々は受け入れました」。

私はそれを聞いて、フィンランドは原子力発電所をつくる資格があるなと思いましたね。処分場を受け入れるかどうか、当然、町議会でも議論したそうです。反対した人はひとりだけだったというのです。

さらに、町の人にインタビューをしたんだよね。「こんなところに最終処分場をつくってもいいんですか」と言ったら、誰も反対しなかったのです。怖くないですか、危険じゃないですかと念を押してみたら、「政府が安全だと言っているから、それを信じます」と。

どうしてそんなに信じられるのかというと、フィンランドは、原子力発電所、あるいは、使用済み核燃料の情報について、危険性を含めてすべて情報公開しているからです。それによって、政府に対する信頼が生まれるんだよね。政府は嘘を言わない、政府が安全だと言ってるんだから安全だろうと信じる。こういう信頼関係ができないと、危険性の高い施設を受け入れられないでしょう。

スムーズに進んだように見えるフィンランドの処分場ですが、最初から広く国民に受け入れられていたわけではありません。最終処分場の場所の選定は1983年にスタートしました。国民を対象にした当時の調査では、安全性に肯定的な人の割合は1割程度だったそうです。政府が建設を認めるには、地元自治体の賛成が不可欠です。オルキルオト島では、事業者と地元住民の間で、徹底した情報開示と意見聴取を20年近く続け、1999年に行われた住民アンケートで約6割の賛成を得られるようになったのです。そして、2001年に国会がオンカロの建設を承認しました。オンカロは2025年頃の操業を目指しています。

誰もが不安に思う核のゴミの最終処分場だからこそ、危険性も含めて情報を地元住民と共有する。だから、国民の信頼を得られるということですね。

「核のゴミ」の処分地を決めないまま原発を稼働している状況を「トイレなきマンション」と言いますが、フィンランドでは原発を稼働する段階からすでに使用済み核燃料の最終処分が決まっているわけですね。これこそ合理的な物事の進め方です。

オンカロのあるオルキルオト島には原子炉が2基ありましたが、さらに3基めをつくろうとしていたところ、アメリカ同時多発テロ（2001年9月11日）が起きてしまったんですね。あれは飛行機によるテロでしょう。それで、上空から飛行機が突っ込んでも原子炉が耐えられるように設計変更をして、ものすごく頑丈な原子力発電所をつくり、現在、試験運転中です。日本は空から飛行機が落ちて来ることまで考えているだろうか。あらゆることを想定して対応する。つまり、物事を合理的に考えるって、こういうことなのかなと思いました。

そして、物事を合理的に考える風土があるのは、少ない人口で一生懸命働かなければいけない、女性たちも戦力にならなければいけない、教育に力を入れなければ国が成り立たない。あるいは、ロシアなどの脅威から逃れるために、物事を合理的に考えていく必要があったからではないか。その結果、今のフィンランドという国になっているのかなと思うのです。

デンマークの選挙投票率は常に80％以上

フィンランドでは、大学に行くと授業料が無料なだけではなく、たとえば一般的なひとり暮らしの大学生だと、国から生活手当と住居手当を合わせて毎月約5万円（2023年2月末のレートで換算）もらえます。デンマークは約8万円もらえます。アルバイトなんかしないで勉強しなさいというわけだよね。学費がかからないどころか手当ももらえるとなると、学生たちは国からいろんな援助をしてもらっていることがわかりやすいでしょう。

だから、デンマークの選挙の投票率は、戦後85％を切ったことがほとんどないのです。ここ2回ほど国政選挙が84％になって、投票率が下がったって大きな問題になりましたけどね。とにかく80％を切ったことがないわけです。日本は、2021年の衆院選、翌年の参院選ともに50％台だから、すごく高いと感じますよね。

第4章でデンマークの話をしましたが、確かに高い税金を払っていますけれど、それだけの見返りがちゃんとあるし、大学は無料なだけでなく、毎月8万円の手当がもらえる。税金を払った分の見返りがはっきりわかるから納得しやすいのです。

逆にそれだけの税金を払っているわけだから、変な国会議員を選んで、自分たちが納めた税金を無駄遣いされては困ります。日本ではずいぶんいろんな無駄遣いが起きてますよね。たくさんの税金を納めるからこそ、議員が無駄遣いをしないように監視をしなければいけない。だから、北欧諸国の投票率は押しなべて高いのです。

――フィンランドで30代の女性首相が誕生したり、大臣にも比較的若い人が多かったり、北欧で若い人たちが政治の世界に進出しているのはなぜですか？

フィンランドに限らず、北欧諸国の若い世代が政治参加に積極的なのは、各政党に「青年部」があるからなんだよね。青年部には10～20代の若者が所属しています。クラブやサークル活動みたいな感じに近くて、気軽に党員として加入できます。政治家になるためではなく、ただ党員として登録しているだけの人もいれば、積極的に政治参加してフィンランドのマリン前首相みたいに優秀な政治家になっていく人もいます。

日本ではなじみが薄いのですが、「青年部」は、北欧の政治モデルのひとつになっているんです。若者の代表、民主主義の象徴と認識されていて、大人たちからも大事にされている組織です。北欧諸国では、高校生のうちから政治活動をするのが当たり前という風土があるんですね。政治家を厳しい目で見て、だめだったら自分たちが政治をすればいいよという、そういう意識が長年つくられてきたこと。そこが日本と大きく違うなと感じます。

選挙の時には、青年部推薦の若い候補者が、母体となる政党の立候補予定者の上位に優先して位置づけられることがよくあります。多様性を確保するため、女性、若者、マイノリティが当選しやすいように配慮しているわけですね。だから、若い人が当選して政治の世界にどんどん入っていってます。

――どうして、日本では若者が政治に興味を持ちにくいんでしょう。

実は、北欧だけではなく、アメリカだって高校生や大学生で政党の活動家になる人が、ごく普通にいるんだよね。日本の場合、１９６０～７０年代に学生運動がものすごく激しくなってしまって、当時の政府がこれをなんとか抑えようと、高校生のうちから政治意識を持つとまずいと抑圧してきた部分があったんです。１９６９年には高校生の政治的活動を制限・禁止することが法律で定められました（２０１５年廃止）。あるいは、「うちの子どもが過激な学生運動にかかわって人を殺したり、殺されたりしたら大変」と、親も必死になって政治と関わるのを止めるということがずうっと続いてきました。

そういうものが相まって、高校生で政治についていろいろ言うと、「意識高い系」なんて揶揄《やゆ》するような状態になってしまったんだね。結果的に、日本の若者たちは、世界でも極めて特異な、政治について話をしない、話をするとまずいなという同調圧力によって支配されているという現実があるのです。

世の中を変えるには意識改革が必須

——日本では、お年寄りの人たちが投票して、お年寄りの人たちが選ばれていると思うのですが、そういった状況はどうすれば変えられるのですか？

そのひとつの対策が、18歳から有権者にしたことなのです。今、日本は高齢者のほうが若者より人口が多く、高齢者は投票に行き、若者は行かない。だから高齢者のための政治になる。それで、18歳から投票できるようにすれば、少しでも若者のための政治が行われるのではないかと考えたわけです。「若者よ、みんな選挙に行きましょう」ということですね。

若い人たちが選挙に行かなければ、高齢者を優遇する政治はいつまでも続くよね。政治家にしてみれば、選挙に行かない、自分に投票しない人のためになんで一生懸命やらなきゃならないんだ、と思うでしょう。今、待機児童がいて保育所に入れるのが大変だという問題は、何年も前の若い人たちが投票に行かなかった結果だよね。

若い人たちが、デモをしたり、政治家のところへ押しかけて要求したりすれば、政治家たちも若い人のことを無視できなくなります。若い人がどんどん選挙に出ることも重要です。この前のアメリカの中間選挙で、25歳の下院議員がフロリダで誕生しました。日本だって25歳になれば、衆議院議員に立候補できます。そういう若い人たちが出てくれば、世の中もずいぶん変わっていくと思います。

――日本で育児休暇を取りにくい理由として、休んでいる間に社員が補充されなくて、人員不足になって迷惑をかけてしまうという環境があると思うのですが、北欧では、どういう対策をとっているんですか？

もし誰かが休んだ場合、ほかの人がそれをカバーしないといけない、と思うかもしれませんが、その人が戻ってくるまでは、誰もカバーしなくていいという発想も実はあるんですね。

というのも、たとえば、ドイツやフランスなどは、夏休みが1か月間くらいあるわけです。私の経験ですけど、フランスやドイツで夏に取材しようとすると、「担当者は夏休みですから、夏休みが終わって出てきてからにしてください」と断られます。

日本なら、誰かが休みだったら、その人の仕事をカバーしようとするでしょう。ドイツやフランスでは、担当者が休んでいる間、その仕事がストップしたって当たり前という認識なのです。だから、自分が休むと支障が出るから休みが取りにくいという、そういう私たちの発想をどこかで変えていかないといけないのです。

――でも、たぶん、現実的にはちょっと難しいですよね。

そのとおりだよね。だけど、以前は育児休暇を取る父親って非常に少なかったんだけど、最近、結構増えていますね。私もいろんな出版社と仕事をしていますが、男性編集者から「育児休暇を取りますので、しばらく連絡が取れません」と言われることがあります。

2022年4月に、「改正育児・介護休業法」が施行されて、男女を問わず、上司は子どもが生まれることを知らされた段階で、部下から「育休を取りたい」と言われなくても、育休制度について個別に周知し、意向を確認するように義務づけられました。これは育休を取りやすくなるよね。本当に時間がかかるんだけど、少しずつ前進しているのです。

ところが、夫が育児休暇を取ったから育児や家事をやってくれると思ったら、結局、ゲームで遊んで、全然家事をやってくれないと不満をもらす女性が結構います。制度をつくったただけじゃ駄目っていうことだよね。結局は、男性の意識改革もまた必要である、ということなのです。

では、北欧はものすごくジェンダーギャップが解消されているから、そういう問題はないのかというと、伝統的に男性は外で働いて女性を養うといった意識がどこかに残っていたり、女性差別もあったりするわけです。第1章でも少し触れましたが、家庭内のDV（ドメスティック・バイオレンス）も、それなりに実はあるんだそうですね。

人間の意識を変えていくのはとても時間がかかります。とりあえず、制度はできたけど、一人ひとりがそれだけの意識を持っているかというと、必ずしもそうではない。だけど、男女が結婚して、両親ともに働くのが当たり前。そして、保育所に預けられて育った子どもがやがて大人になると、妻が働くのは当たり前、子どもを保育所に預けるのも当たり前という意識になっていくことは間違いないよね。そのためには、まだまだ時間がかかるだろうけど、積極的に変えていかなければならないのです。

北欧も低い出生率に悩んでいる

――北欧は高福祉というか、社会保障が充実しているというお話でしたが、出生率は高くないですよね。北欧でも、ますます高齢化が進むと思うんです。日本も高齢化がすごく進んでいて、社会保障にどんどんお金がいっちゃって、財政的にも厳しくなっていますけど、北欧諸国は何か対策を取っているんでしょうか？

出生率は、先進国になると下がっていくんですね。アフリカの国々は、出生率がまだまだ高いでしょう。乳児死亡率が高いところは出生率も高いという関係があります。日本も戦前は、5～7人くらい子どもがいるのは、ごく当たり前だったけど、それは乳児死亡率が極めて高かったからですね。
たくさん子どもが生まれれば、それだけ貧しくなるという悪循環に陥ってしまいます。アフリカは非常に出生率が高い。高いがゆえに、貧しいままという状態になっています。それが次第に豊かになってくると、医療や教育にお金をかけられるから安心して子どもを育てることができます。子どもの教育費がたくさんかかるから、何人も産むわけにはいかないとなって、ひとりかふたりぐらいに留めておく。すると次第に出生率が下がる、という構図ですね。

日本も出生率がずっと下がっているし、韓国も受験競争が厳しくて、教育費に非常にお金がかかるために、出生率の低下が止まりません。合計特殊出生率（ひとりの女性が一生のうちに出産する子どもの平均数）は、日本が1・30（2021年厚生労働省）、韓国が0・78（2022年韓国統計庁）です。

北欧諸国も、社会福祉が充実していて、安心して子どもを育てられるようになっているのですが、それでも、出生率が低いという現実があります。（デンマーク1・67、スウェーデン1・66、ノルウェー1・48、フィンランド1・37／2020年 P214図表㉔）

ただし、北欧諸国では、正式な結婚をしていないふたりの間で生まれた子どもも、正式な夫婦の間で生まれた子どもに対してまったく差別をしません。婚外子もきちんと児童手当を受け取れます。カップルがどんな関係であろうと、生まれた子どもは平等に育てていくことで、出生率の低下にある程度歯止めがかかっている部分があるのです。

日本の場合、婚外子は法的に長らく差別されてきましたが、ようやくその差別を撤廃する法改正が行われ（２０１３年）、法的な差別はなくなりましたが、今でも、結婚していない男女の間に子どもが生まれると、なんとなく冷ややかに見られてしまうこともあり、出生率がなかなか上がらない理由のひとつになっているわけだよね。

ちなみにフィンランドを除いた北欧４か国は、夫婦ではない男女の間に生まれた子どもの割合が結婚した夫婦の間に生まれた子どもより高いんですね。フィンランドも46％が婚

図表㉔―**北欧各国の合計特殊出生率の推移**｜出典：世界銀行

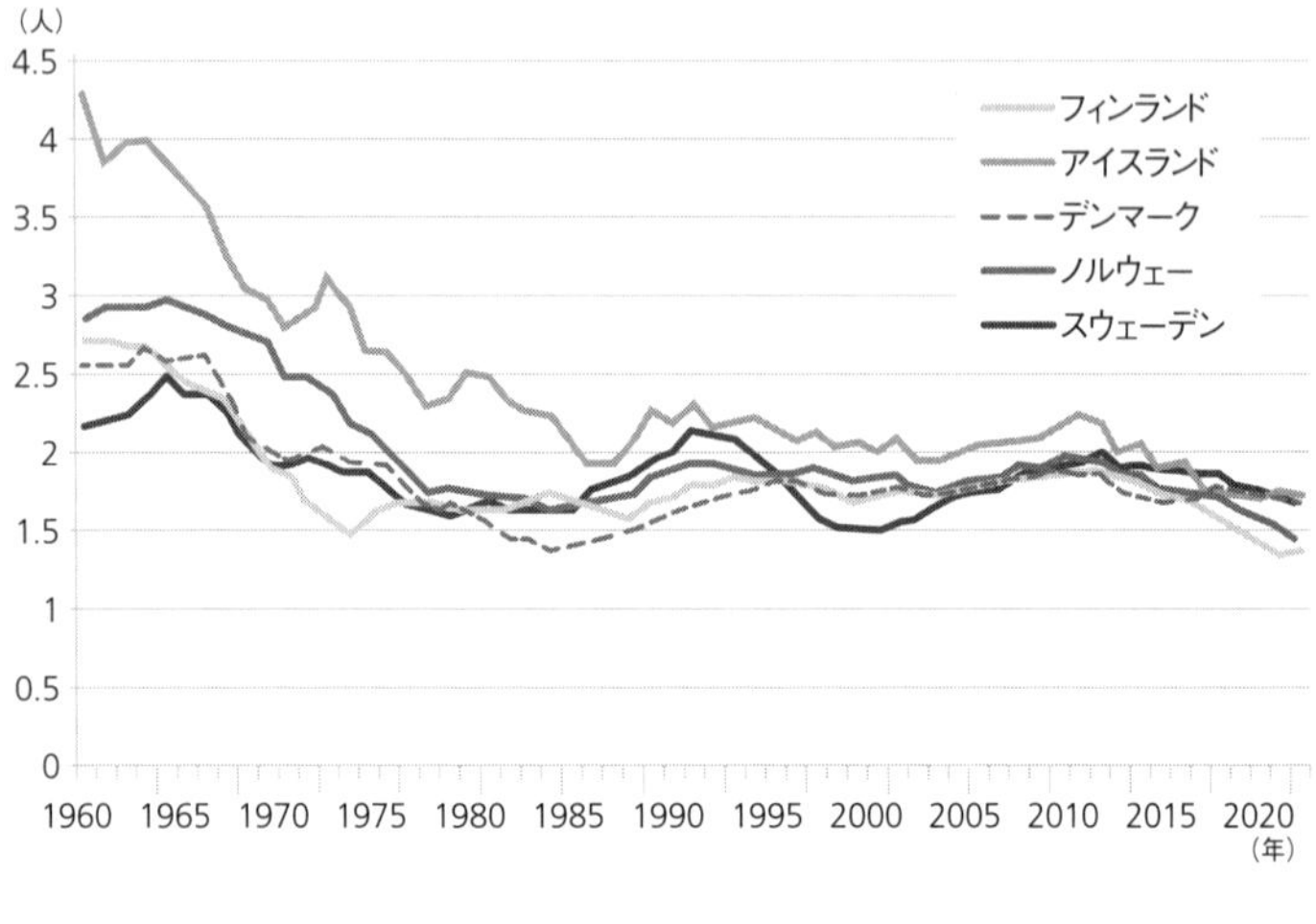

外子です（図表㉕）。たとえば、フランスも婚外子の割合が高いことで有名ですが、これには理由があります。フランスは、カトリックの国なので離婚が認められていません。いったん結婚しちゃうと、離婚ができないので事実婚のかたちで暮らすカップルが多いという事情があります。北欧諸国はプロテスタントで、離婚しようと思えばできるわけだよね。

もうひとつ、実は、移民の受け入れが少子化対策の一端になっている部分があるのです。北欧諸国は、平等や高福祉を掲げていて、移民を大勢受け入れています。特に中東やアフリカから受け入れた移民たちは、まだまだ出生率が高いわけだよね。それによって人口減が緩やかになっているという面があるのです。

図表㉕―**各国の婚外子の割合** | 出典：OECD 2020年

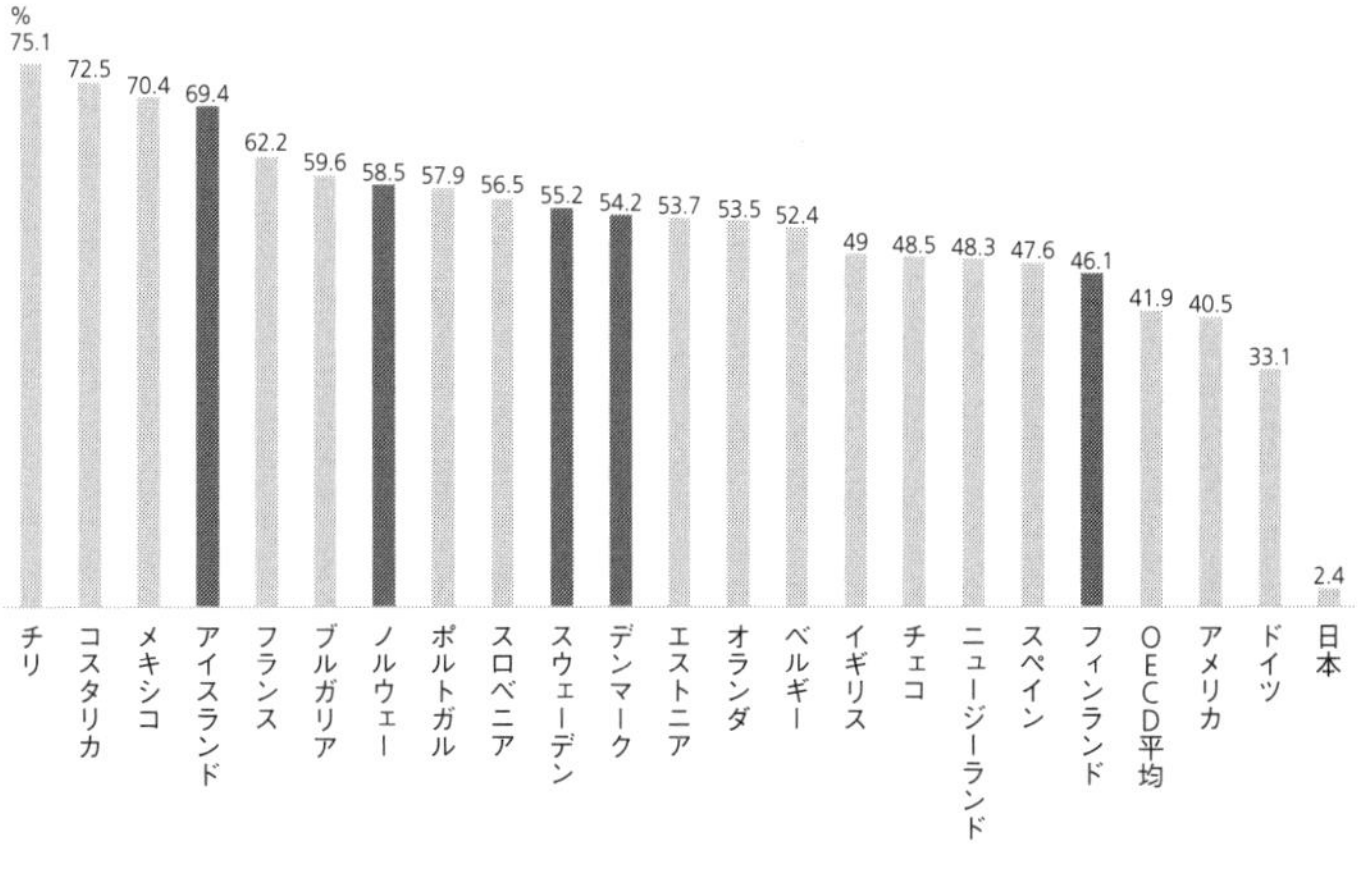

それに対して、フィンランドでは、そんなに移民がどんどん入ってきたらキリスト教の国じゃなくなるじゃないかと主張する「真のフィンランド人」という移民受け入れ反対を唱える極右政党が出てきて、支持者を増やしています。

つまり、少子化対策の経過をまとめると、社会福祉を充実させて出生率を高めようとしたら、そこそこ効果があったんだけど、やっぱり、どうしても下がってくる。それなら、婚外子も平等に扱おうと。それでも歯止めがかからない。じゃあ、移民を積極的に受け入れよう。そうしたら反発が起きている。これが現実だということですね。だから、悩みは尽きないんだよね。先進国はどこも出生率の低下に頭を痛めているという、残念ながら、そういう状況だということです。

日本の学校の先生は北欧型に近づけるか

――フィンランドのやり方にならって、日本でも学校の部活動を地域のスポーツクラブに委託するとかの改革が始まっていますけど、教員の残業時間や休日の仕事は減らないみたいで、教員の「やりがい搾取」はどうしたら解決できるんでしょうか？

先生のことを心配しているんですね（笑）。これは、国民の意識をどうやって変えていくかにかかっていると思います。私が都立高校に通っていた頃、もう今から40年以上前になりますが、都立高校の先生には週のうち必ず平日に一日、研修日というのがあって、その日は学校に来ていませんでした。夏休みの間も、先生は時々学校に来ていましたが、基本的には学校に来ていません。都立高校の先生はいいなと思っていました（笑）。そのうちに、先生がそんなに休みが多いのはけしからんという同調圧力に押されて、先生たちは出勤することが多くなっていきました。夏休み中も、せっせと研修に行かせるなど先生を縛りつけたり、あるいは、授業が終わっても定時までは必ず学校にいなければいけないと締め付けたり。モンスターペアレントが出現し、生徒指導や保護者対応に追われる時間も増えていきました。

また、何か問題が起きるたびに、これはマスコミが悪いんだけど、センセーショナルに取り上げる。そうすると、どうなっているか調査をしましょうと、文部科学省、都道府県の教育委員会、さらには、市区町村の教育委員会も同じようなアンケートなどを行うわけ。学校によっては、3か所から別々のアンケートが届いて、それに管理職が必死になって答えるとか、雑務が増える一方だったのです。

日本の場合は、学校の先生にさまざまなことを期待しすぎて、教えること以外に、ものすごく仕事が増えてしまったということですね。あまりに増えてしまったので、今、あなたが言ったように、フィンランドと同じように、地域のスポーツクラブとかOBに部活を任せ始めたところです。

フィンランドの小学校や中学校へ行った時、職員たちの部屋にはゆったりとしたソファとテーブルがあって、コーヒーメーカーや、簡単につまめるお菓子やパンが並んでいました。休み時間や昼休みに、先生たちは職員室で机に向かうんじゃなく、ソファに座ってみんなでパンを食べたりコーヒーを飲んだりしながら情報交換をしていました（写真⑪）。

余談ですが、給食は全部無料ですね。ヨーロッパはだいたい学校給食が無料です。私も、フィンランドの学校へ行って、学校給食を一緒に食べたのですが、「えっ、これだけ？」というぐらい、たいしたことないんだよね

写真⑪—フィンランドの学校では、先生たちがソファーに座りくつろいだ雰囲気で情報交換している（クオッパヌンミ総合学校にて）｜写真提供：増田ユリヤ

（笑）。これだけではとても足りないよと思いましたが、逆に、日本の学校給食は世界一じゃないでしょうか。あれだけ栄養のバランスを考え、しっかりと食べられる給食はないです。いろんな国で見て、そう思いました。少なくともフィンランドの学校給食より日本のほうがはるかにいいですね、給食費は取られますが（笑）。

最後に話が脱線しましたが、子どもの成長をいちばん近くで見守る教師たちが、余裕をもって学習や生活の指導にあたれるように、学校についても、私たちの意識改革が必要とされています。

環境活動家グレタ・トゥーンベリの闘い

Qグレタ・トゥーンベリの名前を知っているとは思いますが、どんな人物ですか？

――スウェーデンの環境活動家です。

はい、そうですね。グレタ（Ｐ２２０写真⑫）さんは２００３年にスウェーデンの首都ストックホルムで生まれました。現在20歳で、みなさんとほぼ同世代と言っていいでしょう。彼女が、気候変動や地球温暖化のことを知ったのは8歳の時だったといいます。

石油や石炭などの化石燃料を使うことが人類の存在を脅かすほど悪いことなら、なぜそれを続けているのだろう。政治家や大人たちは、なぜ解決しようとしないのだろう。グレタさんの素朴な疑問は、どんどん膨らんでいきました。科学雑誌や本をたくさん読んで地球温暖化に関する知識を身につけていったそうです。そして、なんとしても地球温暖化を防がなければならないという強い思いが、彼女をある行動に導きます。

２０１８年８月、グレタさんはスウェーデンの国会の前で、学校の授業を休んで、毎日たったひとりで座り込みを始めます。「気候のための学校ストライキ」という看板を手に、気候変動対策を強化するように、呼びかけたのです。この活動はスウェーデンの総選挙ま

写真⑫―**グレタ・トゥーンベリ（2003年〜）**｜写真提供：DPA／共同通信イメージズ

スウェーデンの環境活動家。8歳の時に気候変動についての問題がほとんど解決されていないことを知り、そのことで心身の健康を悪化させた。彼女の活動は、菜食主義や二酸化炭素排出量削減など家族のライフスタイルを変えることから始まった。2018年、15歳の時、スウェーデン国会前で「気候のための学校ストライキ」というプラカードを掲げ、気候変動に対する行動強化を呼びかける活動で話題となる。国連や国際会議などでも演説するなど、彼女の活動は多くの賛同を得て世界的に波及した。

での3週間続き、その後は「未来のための金曜日」として毎週金曜日に座り込みの活動を続けました。その様子がSNSで拡散されることによって、あれよあれよという間に世界中のメディアに広がっていったというわけだよね。世界各地でグレタさんと同じように座り込みをする若者たちが続出しました。

最近では、日本でも、グレタさんに触発された高校生や大学生たちが、温暖化対策に取り組んでいます。スウェーデンの15歳の少女が、世界に非常に大きな影響力を与えたわけだよね。

スウェーデンはもちろん、北欧諸国では人権を大切にし、ジェンダーフリーやクオータ制、学校改革、少子化対策、核のゴミの最終処分など、常に先進的な課題に取り組んできました。高校生から政治活動に参加するのを大人たちが後押しする。そういう環境の中から、気候変動・地球温暖化問題をリードするグレタさんのような活動家が出てきたのは、必然なのかなと思います。

若者がたったひとりで何かやったところで、世の中が動くわけがないと思っているかもしれないけど、グレタさんは本当にひとりで始めたわけでしょう。たったひとりで始めたら、世界中で気候変動対策のために若者たちが立ち上がるようになったわけだよね。「何かを変えたい」と思った時、声を上げたり、行動したりするのはとても勇気のいることですが、思い切って声を上げること、そこからすべてが始まることをグレタさんが教えてくれたのではないでしょうか。

クオータ制のような思い切った改革を

——ノルウェーが始めたクオータ制とか、キャリア・アップのためのリスキリングやリカレントとか、北欧は新しい制度や仕組みをどんどん取り入れてきたと思います。日本では、そういう成功体験が思いつかないんですけど、何かあるんですか？

１９８５年に男女雇用機会均等法という法律ができたのですが、これによって実は劇的に変わったんですね。私が高校生だった頃、女子生徒は、四年制大学に行くと就職できないからという理由で、短大へ行く人が多かったんです。四年制大学に行って高学歴だと企業が採用してくれなかったんですね。つまり、当時の女子社員って男性社員の手伝いや、お茶を出すなどの補助的業務で採用していたから、短大卒の女性を採用する企業が多かったのです。だから人気のある短期大学の偏差値がすごく高かったよね。当時のクラスを思い出すと、優秀な女子生徒は、学校の先生になるために大学の教育学部に行く人はいたけれど、それ以外は短大に行く人が多かったですね。そういう時代だったのです、考えられないでしょう。

昔はフジテレビの女性アナウンサーの定年が25歳でした。女性は結婚したら辞めるものと思われていたのです。名古屋テレビは、女子30歳定年制で、それはおかしいと裁判に訴えた女性がいて、１９７２年に裁判所で勝訴しました。そうしたら、同じ年にフジテレビも女性アナウンサー25歳定年制をやめたのです。

男女雇用機会均等法も、募集・採用・配置・昇進などで女性を男性と均等に扱う「努力義務」だったのですが、それでもそこから大きく変わっていきました。１９９７年には「努力義務」でなく、男女で差をつけることは「禁止」となり、さまざまな分野の職業に女性が進出するようになりました。管理職の女性の数も、次第に増えてきています。

やはり、社会を変化させたいと思ったら、仕組みをつくることが大切なのです。「クオータ制」のような思い切った仕組みを導入すれば、世の中が少しずつ変わっていくと思うのです。日本も、男女雇用機会均等法によって女性の働き方は大きく変わりました。君たちは、女性が四年制大学に行くのも、就職して働き続けるのも当たり前と思っているでしょう。それは君たちの先輩たちが大変な苦労をして築いてきたんだということを、ちょっと知ってほしいなと思うんですね。

能力の高い「吹きこぼれ」の子どもをどうするか

――日本には激しい受験競争や塾があり、悪い面もあるけど、それによって勉強を結構するんだと思います。フィンランドのように、大学院まで授業料が無料で受験競争や塾もないと、言い方が不適切かもしれませんが、学力的に下の層の底上げにはなるけど、上の突出した層が出にくくなってしまわないですか？

落ちこぼれの反対の意味で「吹きこぼれ」という言い方があります。つまり、落ちこぼれをなくす取り組みをした結果、吹きこぼれをどうするかという問題ですよね。フィンランドに限らず、これは日本でも最近よく問題になっています。

日本は戦後ずうっと、とにかく平等な教育をしましょう、読み書きができるようにしましょう、落ちこぼれが出ないように底上げしましょうという教育を極めてうまくやってきました。日本がこれだけ経済成長できたのは、誰でも読み書きができる教育水準あってこそなのです。

日本は底上げという点では成功しましたが、アメリカのＧＡＦＡ《ガーファ》（Google, Apple, Facebook, Amazon.com）のようなことを始める、そういう極めて能力の高い人を生み出せていないんじゃないか。能力の高い人が「吹きこぼれ」にならずに実力を発揮できるような仕組みをつくるべきではないかということが、今、日本で大変大きな課題に浮上しています。日本も能力の高い生徒に関しては、学校でやるべきことをもう一度塾でやるのではなく、まったく違うかたちで能力を発揮できるような仕組みをつくるべきではないかという議論や取り組みが、まさに行われているところです。

フィンランドもこれまで「落ちこぼれをつくらない」教育をやってきて、結果を出しました。ベネッセ教育総合研究所が２００６〜０７年に世界6都市の10歳・11歳を対象とした調査によると、フィンランド（ヘルシンキ）の子どもたちは「今はいい成績を取りたいとは思っていないけれど、がんばれば上位の成績が取れる」と信じている子どもが多いという結果が出ています。今後はそういう子どもたちをどのように能力の高い人材に育てていくかが注目されるところですね。

北欧の制度から日本に導入できそうなものを選ぶ

――北欧の教育制度や社会保障などの素晴らしい制度は、北欧の寒さとか、政治的な要因から生まれていると僕は思ったんですけど、それをはたして、日本という温暖な経済大国が受

け入れて、うまくいくのかなと疑問に思うのですが。

すごくいい視点だと思います。こういうのを「いい質問ですね」って言うんだよね（笑）。まったくそのとおりだよね。

寒いし、人口が少ない。そういうこともあって、今の北欧社会ができたという側面があります。北欧って、高福祉高負担だよね、じゃあ、日本もそうしましょうって、すぐできるかというと、できないですよね。消費税を10％にするのに大騒ぎだったのに、北欧並みに24〜25％となると、じゃあ、日本でそれを導入するにはどうしたらいいんだろうかと、試行錯誤を繰り返していくしかないんだろうと思います。

あるいは、部活動は学外のスポーツクラブなどでやりましょうという仕組みに、日本も少しずつなってきていますね。でも、フィンランドとそっくり同じようにやったら、うまくいくわけがないよね。これを日本にそのまま導入することができるんだろうかと、科学的に一つひとつ考えていくことが大切なのです。

日本でも、大学まで無償化するべきだっていう議論があるわけだよね。北欧諸国は大学まで学費は無料です。だからこそ、フィンランドのマリン前首相のような人が誕生するわけでしょう。日本でもそれをしたらいいっていう議論は当然あるわけだよね。

でも、日本の場合、うちには子どもがいない、あるいは、うちの子は大学に行かない、よその子どもが大学に行くお金をなんで自分たちの税金から出さなきゃいけないんだって思う人がきっといるでしょう。だから、日本では、やっぱり、大学まで全部無償化ということができない。でも、北欧諸国は、確かに大学に行っていない人には利益が得られないかもしれないけど、社会全体として高学歴になり、それによって経済が発展していくという、長い目で見れば、それは国の力を強めることなんだということをみんなが理解できている。だから実現できるわけだよね。

つまり、北欧から学ぶことっていっぱいあります。ああ、北欧ってすごいなと、授業の中で何度も思ったでしょう。結局は、一つひとつのことについて、「どうすれば日本に導入することができるんだろうか」と考えていくことが大事なのではないでしょうか。

だから、君たちも、この授業を受けて、へえ、すごいなで終わってしまっちゃ駄目だよね。「毎年、日本からフィンランドに視察団が来るんだけど何も変わってないですよ」とフィンランドの人に言われるのと同じになるよね。そこは、冷静に見たうえで、どれが導入できるのか、どれは駄目なのかを考える。見る力、応用する力をつけることが必要になってくるのかなと思います。

将来を見据えて、いつ何をするか考える

結果的に、北欧から何が学べるのかというと、いろいろありますけど、ひとつ、考え方として、「バックキャスティング」という言葉があります。これは未来を見据えて、たとえば、2050年のあるべき姿というのをまず想定をし、そこから戻って、今からそれまでの間に何をすべきなのか、実現に向けての道筋を考えるということです。

たとえば、日本でいうと、カーボンニュートラル（温室効果ガスの排出を全体としてゼロにする）をいつまでに実現するか。ようやく日本もちょっと始めましたけど、2050年までに本当に実現できるロードマップを考えなければなりません。

あるいは、北欧諸国並みの高福祉高負担なんて、すぐにできるわけがないよね。何年までにこれを実現しよう、そのためには、まず今年は何ができるんだろうかと、そういう考え方をすることによって、北欧が今のような状態になったのです。

日本がこれまでやってきたのは「フォアキャスティング」です。現在の延長線上で未来を考えようというのが日本のやり方でした。将来が現在の延長線上でいい場合には「フォアキャスティング」でいいでしょう。しかし、これから劇的な変化が求められる課題に対

処するなら「バックキャスティング」が有効です。

だから、日本に必要な考え方で大事なことは、まず将来をどう見据えるかっていうことだよね。本来、日本があるべき姿は、どういうものなのだろうか。２０３５年にはどうなのか、あるいは、２０５０年の日本のあるべき姿を描いて、そこに向かって、じゃあ、今年、来年、再来年は何ができるのかを考えていく。この基本的な考え方というのが大事なことではないでしょうか。

そして、北欧がなぜ高福祉やジェンダーフリーなどを実現してきたかというと、一人ひとりが自立して、独立してさまざまな物事や行動を考えられるからだと思うのです。真に自立した人が増えていくことが、結果的に、トータルとして国を強くしていくことになるのです。北欧は寒くて国が小さいという悪条件であるがゆえに、個人の自立によって、これだけ発展できたということだよね。

日本は四季が豊かで、暖かくて、人口も多く、恵まれています。だから、とりあえず日本国内だけでなんとかなっている。ある種、ぬるま湯だよね。居心地がいいといえば居心地がいいんだけど、それで未来があるのかって考えた時に、北欧から学べることがたくさんあるんじゃないかって思います。

世界のことを学ぶというのは、結局、そういうことだよね。でも、つい私たちがやりがちなのは、どこかの国を理想のモデルにして、同じように行動してしまう。理想の国なんてあるわけがないんだよね。それぞれの国が、みんな試行錯誤をして苦労して自分たちの理想を築いていくものだから、私たちもどうすればいいのかということを一人ひとりが考えていかなければならないのです。北欧から学べること、あるいは、こういうことをやっちゃいけないんだということも含めて、考えていってもらえればいいなと思います。

――（生徒代表）北欧の歴史や、今の社会構造、北欧型の考え方についての貴重な授業をありがとうございました。制度を先進的なものにしていくためには、時間をかけて改革していくことや、意識の切り換えが必要だという考え方は、とても大切だと強く感じました。

日本にとってはユーラシア大陸の西端にあるように見える北欧の国々ですが、ほかのヨーロッパ諸国との歴史的つながりが国家形成に非常に影響してくるところが学び甲斐があると興味深く感じました。知識を詰め込むだけが世界史、現代社会ではないということを強く感じられました。とても学習意欲をそそられる体験だったと思います。ありがとうございました（拍手）。

はい、ありがとう（拍手）。

「北欧」について、さらに学びたい人のために

池上彰推奨図書

・村井誠人ほか＝監修『一冊でわかる北欧史』河出書房新社
・百瀬宏ほか＝編『北欧史 上下』山川出版社
・堀内都喜子『フィンランド 幸せのメソッド』集英社新書
・石野裕子『物語 フィンランドの歴史』中公新書
・増田ユリヤ『教育立国フィンランド流 教師の育て方』岩波書店
・翁百合ほか『北欧モデル』日本経済新聞出版社
・武田龍夫『新版 嵐の中の北欧』中公文庫
・山崎雅弘『第二次世界大戦秘史』朝日新書

北欧略年表

（本書に関連した項目を中心に作成）

700年代中ば～　ヴァイキング時代（～1050年頃）。
874頃　ヴァイキングによるアイスランドへの植民始まる。
900頃　ノルウェー王国、デンマーク王国成立。
930頃　アイスランドに全島集会「アルシング」設置。
995頃　スウェーデン王国成立。
1155頃　スウェーデンによるフィンランドへの十字軍遠征。
1193　ローマ教皇がバルト海沿岸に十字軍派遣を布告。
1262　アイスランド、ノルウェーの統治下に。
1323　スウェーデン・ロシア間の国境確定。フィンランドは、スウェーデンの一部となる。
1380　ノルウェーとデンマークが同君連合形成（～1396）。
1397　デンマーク、ノルウェー、スウェーデンによるカルマル同盟形成（～1523年）。
1517　ルター「九十五か条の論題」発表。
1523　スウェーデンがデンマークから独立。カルマル同盟解消。デンマーク＝ノルウェー二重王国となる。
1500年代前半　デンマーク、ノルウェー、スウェーデンで宗教改革が進む（ルーテル派へ）。
1618　ドイツで三十年戦争勃発（～48年）。
1660　デンマークで絶対王政始まる。この頃からスウェーデンの領土が拡大（バルト帝国へ）。
1680　スウェーデンで絶対王政始まる。

1700　北方戦争勃発（～21年、スウェーデン敗北）。
1796　ナポレオン戦争（～1814年）。
1805　ナポレオンに対抗するため、スウェーデンがイギリス、ロシア、オーストリアなどと対仏大同盟（第3回）結成。
1809　スウェーデン、フィンランドをロシアへ割譲。フィンランド大公国の成立を宣言。
1810　カール・ヨハン（元ナポレオンの副官）がスウェーデン王太子となる。
1814　ナポレオン戦争後、キール平和条約締結。スウェーデンは以降、非同盟・中立政策。デンマークがノルウェーをスウェーデンに割譲。ノルウェーは独立を宣言するも、スウェーデンとの同君連合形成を余儀なくされる。
1864　デンマーク戦争。
1901　第1回ノーベル賞授与式。
1905　ノルウェー、スウェーデンとの同君連合を解消し独立。カール4世の孫がノルウェー国王となる（ホーコン7世）。
1906　フィンランドで女性参政権承認（ヨーロッパ初）。
1914　第一次世界大戦勃発（～18年）。スカンディナビア3国の王が中立を宣言。
1917　フィンランド、ロシアから独立するも、白衛軍と赤衛軍による内戦勃発。フィンランド共和国成立。

1918　アイスランドがデンマークとの同君連合国家として独立。
1939　第二次世界大戦勃発。
　フィンランド、対ソ戦争（冬戦争～40年）。
1940　ドイツがデンマーク、ノルウェーを占領。
1941　独ソ戦始まる。フィンランド・ソ連、継続戦争（～44年）。
1944　アイスランド共和国成立。
　フィンランド、対独戦争（ラップランド戦争～45年）。
1945　第二次世界大戦終結。
　ノルウェー、デンマーク国連加盟。
1946　アイスランド、スウェーデン国連加盟。
1948　フィンランド・ソ連友好協力相互援助条約締結。
1949　ノルウェー、デンマーク、アイスランドNATO加盟。
1953　北欧会議が結成される。
1955　フィンランド、国連加盟。
1959　EFTA（欧州自由貿易連合）結成。ノルウェー、スウェーデン、デンマークなど7か国が加盟。
1970　アイスランド、EFTA加盟。
1972　ノルウェー、EC（欧州共同体）加盟を国民投票で否決。
1973　デンマーク、EC加盟（EFTA脱退）。
1979　グリーンランドがデンマークの自治領となる。
1980　アイスランド、世界初となる女性大統領ヴィグディス・フィンボガドゥティル就任。
1986　フィンランド、EFTA加盟。
　米ソ首脳がレイキャビクで会談。
1991　ソ連崩壊。
1993　マーストリヒト条約発効によりEU確立。
　ノルウェーでパパ・クオータ制導入。
1994　欧州経済領域（EEA）協定発効。
　ノルウェー、EU（欧州連合）加盟を国民投票で否決。
1995　スウェーデン、フィンランドEU加盟（EFTA脱退）。
2000　デンマーク、国民投票でユーロ（通貨）参加を否決。
2002　フィンランドでユーロの流通開始。
2005　デンマーク、フェロー諸島自治政府権限委譲法成立。
2009　デンマーク、グリーンランド自治協定締結で政治的権限・責任がグリーンランド政府へ移譲される。
2010　スウェーデンで徴兵制を廃止（2018年から再開）。
2014　日本と北朝鮮がスウェーデンで拉致問題交渉（ストックホルム合意）。
2015　ノルウェーで女性にも徴兵が適用される。
2018　15歳のグレタ・トゥーンベリさん、スウェーデン議会前で気候変動対策へのストライキを行い話題に。
2019　フィンランドでサンナ・マリンが首相に就任。この当時、世界最年少の指導者。
2021　スウェーデンでアンデション政権発足。これで北欧5か国すべてで女性首相が誕生したことになる。
2022　1月、デンマーク女王、マルグレーテ2世が在位50周年。
　2月、ロシアがウクライナに侵攻。
　5月、スウェーデン、フィンランドがNATOに加盟申請。
2023　4月、フィンランドがNATOに正式加盟。

＊参考文献・資料／池上彰『そうだったのか！ 現代史パート2』（集英社）、『詳説世界史』（山川出版社）、『20世紀年表』（毎日新聞社）、外務省HPほか

おわりに

本シリーズは、さまざまな中学や高校での授業をもとに作成されてきました。今回は、東京都立小石川中等教育学校の生徒諸君の協力で実現しました。生徒諸君の活発な意見や質問を通じて、今の若い人たちの興味や関心の具合を知ることができます。その結果、大人たちによるひとりよがりの書籍づくりの失敗を防ぐことができているのだと思うと、生徒諸君に感謝です。

また、教職員の皆さんの協力があってこそ実現したことです。

「中等教育学校」の「中等教育」とは、文部科学省の分類では中学校と高等学校のこと。つまり中高一貫校なのです。高校受験をする必要がない分、多様な学びの場があるのです。今回の授業も、そんな学びの場になっていればいいのですが。

授業は「北欧にどんなイメージを持つか」というところから始めました。すると、「寒い」という答えが。思わず教室に笑いが起きましたが、これが意外に「いい答え」だったのです。それがなぜかは、本文を読めばわかるでしょう。

私たちの周りに増えてきた北欧デザインの家具。「幸せな国」を目指して、さまざまな取り組みを試みてきた北欧諸国。学力はどうすれば向上するのか。社会福祉を充実させるには、結局は税の負担を高めるしかないという現実。北欧諸国の取り組みは、自分たちのことは自分たちで取り組むしかないことを私たちに教えてくれます。

ロシアによるウクライナへの軍事侵攻で、ロシア軍に徴兵されることを恐れた若いロシア人たちが、多数フィンランドに逃げ込んでいるというニュースがあります。そこでフィンランドはロシアとの国境に長大なフェンスを建設しています。「サウナ好き」という点ではフィンランド人もロシア人も共通しているのですが、国の安全を守るためには覚悟や負担も必要になるのです。

寒いからこそ、必死になって生きてきた人たち。厳しい環境が、人間を育てるのです。私たちも負けずに頑張ろうではありませんか。

この本をつくるにあたっては、小学館の園田健也さんや岡本八重子さん、西之園あゆみさんにお世話になりました。

池上　彰

本書を刊行するにあたって、
東京都立小石川中等教育学校の
先生や生徒のみなさまにご協力いただきました。
厚く御礼申し上げます。
――編集部

池上彰の世界の見方

Akira Ikegami, How To See the World

北欧

幸せな国々に迫るロシアの影

2023年8月5日 初版第1刷発行

著者
池上 彰

発行者
下山明子

発行所
株式会社小学館
〒101-8001 東京都千代田区一ツ橋2-3-1
編集03-3230-5112 販売03-5281-3555

印刷所
凸版印刷株式会社

製本所
株式会社 若林製本工場

 ISBN978-4-09-389118-9

構成・岡本八重子／**ブックデザイン**・鈴木成一デザイン室
DTP・昭和ブライト／**地図製作**・株式会社平凡社地図出版
編集協力・西之園あゆみ／**校正**・玄冬書林、萩谷宏(アイスランド)
撮影・五十嵐美弥(本文)、岡本明洋(カバー、帯)
スタイリング(カバー写真)・興津靖江(FELUCA)／**制作**・斉藤陽子、
太田真由美／**販売**・金森 悠／**宣伝**・鈴木里彩／**編集**・園田健也